Colección LECTURAS

Lecturas de Español son historias interesantes, breves y llenas de información sobre la lengua y la cultura de España e Hispanoamérica. Con ellas puedes divertirte y al mismo tiempo aumentar tus conocimientos. Existen seis niveles de lecturas (elemental I y II, intermedio I y II y superior I y II), así que te resultará fácil seleccionar una historia adecuada para ti.

En *Lecturas de Español* encontrarás:
- temas e historias variadas y originales,
- notas de cultura y vocabulario,
- ejercicios interesantes sobre la gramática y las notas de cada lectura,
- la posibilidad de compartir tu lectura con otros estudiantes.

NIVEL INTERMEDIO - II

Llegó tarde a la cita

Coordinadores de la colección:
Abel A. Murcia Soriano (Instituto Cervantes. Cracovia)
José Luis Ocasar Ariza (Universidad Complutense de Madrid)

Autor del texto:
Víctor Benítez Canfranc

Explotación didáctica:
Abel A. Murcia Soriano
José Luis Ocasar Ariza

Maquetación e ilustraciones:
Carlos Yllana Hevilla

Diseño de la cubierta:
Carlos Casado Osuna

Diseño de la colección:
Antonio Arias Manjarín

© Editorial Edinumen, 2003
© José Luis Ocasar Ariza
© Abel A. Murcia Soriano
© Víctor Benítez Canfranc
ISBN: 978-84-95986-07-8
Depósito Legal: M-19450-2011

1.ª edición, 2003
2.ª impresión, 2007
3.ª impresión, 2010
4.ª impresión, 2011

Editorial Edinumen
José Celestino Mutis, 4
28028 - Madrid (España)
Teléfono: 91 308 51 42
Fax: 91 319 93 09
E-mail: edinumen@edinumen.es

Imprime: Gráficas Glodami. Coslada (Madrid)

Llegó tarde a la cita

ANTES DE EMPEZAR A LEER

1. El título de la historia que vas a leer es "Llegó tarde a la cita". Entre los tópicos que circulan sobre el mundo hispánico está el de la falta de puntualidad. A continuación tienes una serie de adjetivos, señala los que crees que generalmente son atribuidos a los españoles.

- impuntuales
- serios
- alegres
- chovinistas
- hipócritas
- formales

- mentirosos
- trabajadores
- juerguistas
- bebedores
- religiosos
- vagos

- sinceros
- reprimidos
- amables
- racistas
- antipáticos
- fieles...

2. Algunos de los tópicos que se aplican a la gente de un país no afectan de la misma manera a adultos y jóvenes. Agrupa los que has marcado en una de las tres columnas según con quién se puedan utilizar.

Solo jóvenes	Solo adultos	Jóvenes y adultos
		Falta de puntualidad

3. Algunos de los tópicos que has colocado en la tercera columna son valorados de forma diferente según la edad. La falta de puntualidad no es percibida igual cuando se trata de una cita con un compañero/a de universidad que cuando se trata de una comida de trabajo. Comenta con tus compañeros las diferencias que encontráis.

4. ¿Por qué motivos crees que se puede llegar tarde a una cita?

☐ sin motivo

☐ había mucho tráfico

☐ lo ha parado la policía

☐ el metro/autobús ha tardado mucho en llegar

☐ ha recibido una llamada justo antes de salir

☐ ha tenido un accidente

☐ se ha quedado dormido/a

☐ se ha encontrado a alguien por el camino

☐ se ha entretenido con otras cosas urgentes

☐ tenía algo muy urgente que acabar

☐ se ha equivocado de lugar/hora

☐ la calle estaba cortada

☐ ...

5. Imagina que alguien llega tarde a una cita contigo. ¿Qué motivos te harían enfadar y cuáles no? ¿Por qué?

_____

_____

_____

_____

_____

_____

_____

_____

6. La historia que vas a leer trata de un grupo de estudiantes universitarios que viven en Madrid. ¿Qué características de las siguientes crees que tienen los ambientes universitarios?

- conciencia y activismo social y político
- interés por la moda
- interés por el mundo del corazón
- inquietudes culturales
- intolerancia
- tendencia a romper moldes
- objetivo principal: el dinero
- generación idealista

- obsesión por el sexo
- fascinación por las drogas
- estudio intensivo
- reflexión sobre planes de futuro
- competitividad feroz
- creación de amistades verdaderas
- predominio de criterios estéticos frente a valores éticos
- relativismo...

7. Las características que has señalado pueden variar en función del país, la ciudad, la cultura, etc. Con ayuda de tu profesor completa la siguiente tabla y comenta los resultados con tus compañeros.

En España / En Argentina / En ... la universidad es...	En mi ciudad la universidad es...

8. Observando la foto de la portada, ¿cuál de las siguientes definiciones crees que coincide más con los personajes que aparecen?

– Estudiantes de doctorado para los que lo más importante en la vida es el estudio y la carrera profesional.

– Compañeros de clase para los que la amistad es lo único importante que les ofrece la universidad y el estudio no existe o es solo una excusa para estar juntos.

– Estudiantes de diferentes carreras que piensan que la universidad es algo más que un montón de exámenes y un título.

– Estudiantes de los últimos años de carrera que no tienen nada en común y que solo quieren terminar cuanto antes y olvidar la universidad y a toda la gente que han conocido en ella.

– Estudiantes que están más interesados por la crónica social, las revistas del corazón, las motos y los coches, que por cualquier otra cosa en la vida.

9. ¿Qué influencia crees que el compartir inquietudes similares, pasar mucho tiempo juntos, o tener experiencias parecidas a la misma edad puede tener en los jóvenes en edad universitaria? ¿Crees que de ese período do pueden surgir grandes amistades, grandes amores, grandes odios, etc.? Coméntalo con tus compañeros.

I

El primer día de clase siempre es curioso. Uno llega a la universidad **de nuevas** y ve a gente que conocía del instituto y se ha decidido por la misma carrera. Pero a la mayoría de la gente no la conoce.

En **la Complutense** hasta los edificios huelen a viejo. Todo es viejo. Y eso tiene un punto histórico (la guerra civil, las luchas de estudiantes en los años sesenta y setenta, la arquitectura franquista...), atractivo, casi fantástico; pero también uno rancio, aburrido, para nada innovador. El edificio de **Ciencias de la Información**, sin ir más lejos. Un viejo proyecto de cárcel de mujeres aprovechado para hacer una facultad. Está lleno de pasillos grises, parece más un laberinto que una facultad.

La primera vez que Gorka entró allí, ese martes primer día de clase en la universidad, fue directamente a la cafetería. Separada del pasillo por una pared de cristal, la cafetería era grande, con unas veinte mesas viejas colocadas en desorden, una **barra** semicircular a la derecha, el suelo lleno de servilletas sucias y palillos. Al entrar, lo primero que se veía era la máquina de sacar los tickets. Las cafeterías estaban muy mo-

de nuevas: por primera vez.

la Complutense: Universidad Complutense de Madrid: actualmente, la universidad española que tiene mayor número de estudiantes. Tiene varios campus, pero el principal está en la Ciudad Universitaria. **Ciencias de la Información:** nombre oficial de la carrera de Periodismo.

la barra (de un bar o de una cafetería): el lugar donde se pide de la consumición en un local y que separa al camarero de los clientes.

una caña: un vaso pequeño (unos 200 cl.) de cerveza. Se toma generalmente antes de comer, en el aperitivo.

armar jaleo: hacer ruido.

un botellín: una botella pequeña (250 cl.) de cerveza.

la uni: forma coloquial con la que algunos estudiantes se refieren a la universidad.

pijo: aquí, alguien que tiene mucho dinero. También se refiere a gente a la que le gusta usar cosas de marca.

Ávila: pequeña capital de provincia de Castilla y León, que está al oeste de Madrid.

a las mil maravillas: muy bien.

dernizadas. Era la primera vez que Gorka veía algo así, pero se acostumbró pronto: primero hay que ir allí, decidir qué se quiere, pagarlo y luego a la barra con el ticket para que te den el café, la cocacola o la **caña**, según la hora. Cuando entró, le pareció el paraíso: estaba llena de gente, parecía que había miles de personas por **el jaleo que estaban armando**. Algunos estaban con **botellines**, otros con café, los menos con un té con leche, pero todos hablaban alto y se reían. Como no conocía a nadie, le dio vergüenza entrar, así que se fue directamente a ver los horarios. Se dio cuenta de que el suyo no era especialmente bueno; tenía que estar tres días a la semana de diez de la mañana a seis de la tarde en la **"uni"**. Y con un descanso de media hora para comer, a las tres y media. Mientras iba hacia la clase, pensó que, a pesar de todo, lo iba a pasar bien si conocía a alguien.

En la clase ya había mucha gente. "Demasiada –pensó Irene–, mal empezamos". Para Irene la carrera de Periodismo no había sido una elección propia; iba allí porque su padre era periodista. Ella estaba dispuesta a hacer el primer año, pero después quería cambiar de carrera y hacer Filosofía, que es lo que le gustaba de verdad. Ya conocía a alguna gente allí y el ambiente le parecía mucho más atractivo. "Nada de **pijos** disfrazados de hippies, allí la gente es más auténtica, sabe lo que quiere". Por lo menos había conseguido salir de **Ávila**, de casa de sus padres, aunque fuera para irse a vivir con su abuela.

Pero con su abuela se entendía **a las mil maravillas**. Suele pasar que los abuelos son mucho más tole-

Lavapiés: barrio antiguo de Madrid. Actualmente vive en él gente muy diversa: inmigrantes, madrileños y representantes de numerosas culturas.

echar una mano: ayudar.

rantes y comprensivos que los padres. Y así pasaba con Juliana, la abuela de Irene, con la que tenía un acuerdo que convenía a las dos: Irene podía volver a cualquier hora y la abuela no decía nada y, a cambio, Juliana se iba de vez en cuando al bingo, su vicio secreto. Las dos vivían solas en **Lavapiés**, en una casa antigua, y se compenetraban bien: al mercado iban juntas, pero de cocinar se encargaba la abuela, así como de fregar, lavar la ropa y limpiar la casa. Irene de vez en cuando **echaba una mano**, pero a Juliana no le gustaba cómo hacía su nieta las cosas. No entendía, por ejemplo, lo de poner música cada vez que limpiaba el polvo o recogía la casa... "¡Ruido! ¡Eso es ruido, no música!" solía decir. Por eso el acuerdo significaba cada vez más que la abuela hacía todo lo de la casa, incluso ir a la compra, aunque a eso la acompañaba Irene.

rastas: forma de llevar el pelo asociada a Bob Marley y a la música reggae.

Irene estaba sentada en la cuarta fila a la derecha del pasillo que había en la clase. Se la veía no solo por estar relativamente cerca de la puerta, sino además porque llevaba el pelo teñido de tres colores diferentes y con **rastas**. Gorka la miró con interés. Con el interés que puede despertar una persona que nos gusta pero está lejos, inalcanzablemente lejos de nosotros. Se puso contento: por lo menos había visto a una persona interesante. Para ser el primer día no estaba nada mal. Sin embargo, le parecía muy difícil, casi imposible, acercarse a ella y establecer algún contacto. Pensaba que la clase iba a ser tan solo una presentación, a eso estaba acostumbrado en **el instituto**, pero en cambio la profesora se presentó en cinco minutos y empezó el temario, "no hay mucho tiempo, chicos", dijo.

el instituto: centro de enseñanzas medias.

La primera impresión que tuvo Gorka no fue mala. La profesora parecía inteligente y, además, era divertida. Tendría unos treinta y cinco. Era alta, corpulenta y un cuerpo muy bonito. Tenía el pelo largo, negro, rizado... lo llevaba atado en una coleta que le **favorecía mucho**. Iba bien vestida: ni demasiado moderna, ni demasiado clásica. A Gorka le gustó, pero en realidad **le hizo poco caso**. Se dedicó a estudiar a sus recién estrenados compañeros.

Se había sentado al fondo con ese propósito. Siempre había sido un poco **cotilla**, pero no podía remediarlo: le encantaba mirar a la gente, observarla, imaginarse mil historias y pensar que tenía a los protagonistas delante de sí. Por ejemplo ese chico de dos filas más adelante. Le veía solo por detrás, pero le bastaba. Tenía el pelo muy corto, como **rapado**, y una espalda bastante ancha. Como estaban a principios de octubre y ese otoño estaba siendo especialmente caluroso, llevaba una camiseta de manga corta que estaba humedecida por el sudor. En clase cada vez hacía más calor. Se imaginó la cara. Seguramente tendría una cara **risueña**, no especialmente inteligente, pero con una sonrisa preciosa. Estupendo para una historia de desamor. El típico chico simpático y guapo, pero tonto.

A juicio de Irene lo que estaba diciendo la profesora eran **gilipolleces**. Le cayó antipática desde el principio; decidió que a esa clase iría lo menos posible. Estaba convencida de que tenía que descartar clases inútiles, clases a las que no le parecía necesario ir porque no le iban a ayudar en su formación como persona. Basura, como decía ella. En el fondo, de alguna manera Irene ya estaba predispuesta a que así fuera, pero eso no le importaba mucho. Necesitaba justifi-

le favorecía mucho: estaba muy guapa con la coleta.

hacerle caso a alguien: prestarle atención a alguien.

ser un cotilla: aquí, ser muy curioso. También, alguien a quien le gusta hablar de los demás.

pelo rapado: al estilo militar, muy corto.

risueño: sonriente, fantasioso.

gilipollez: *(coloquial)* tontería.

iba de marginal por la vida: quería parecer marginal.

lo mierda: lo + adjetivo o sustantivo cumple la función de cuantificador, equivalente a "muy + adj. /sust.".

cortarse de hacer algo: *(coloquial)* no hacer algo que se quiere hacer por educación, vergüenza, etc.

"El Jueves": publicación satírica semanal.

carse; y en este caso la justificación perfecta venía de la mano de algunos dirigentes, alternativos, de alternativos colectivos universitarios a los que Irene pertenecía y que solían arreglar el mundo diciendo que todo era una mierda y que para ser cómplices de la mierda lo mejor era no participar. Irene **iba de marginal por la vida** y prefería sentirse fuera de perfiles y de estudiantes medios. Estaba pensando en **lo mierda** que era la universidad y casi se pone los walkman allí mismo, en medio de la clase, pero **se cortó** y decidió abrir un **"Jueves"** atrasado que aún no había leído.

II

La clase acabó a las dos menos cuarto. Teóricamente había un descanso de un cuarto de hora entre clase y clase, y aún le quedaban dos más. Pero el día anterior, antes de ver su horario, Gorka había quedado con Miguel, su compañero de piso desde hacía diez días y antiguo compañero del colegio, a las dos. Además, estaba un poco harto de introducciones a millones de teorías diferentes de las que no entendía mucho: decidió que por aquel día ya **había cumplido**. Irene, por su lado, tenía una reunión con el Colectivo "Universidad en Lucha" en la Facultad de Biología, no muy lejos de allí. Se puso en los *walkman* a **Rosendo** y salió de clase. Con cara un poco de felicidad, un poco de ansia salió de clase también Gorka, en dirección a la cafetería. Allí había quedado con Miguel. Para este también había sido el primer día en la "uni", y seguro que tenía cosas que contarle. Gorka le quería hablar de esa chica "misteriosa" que había visto en clase, en la cuarta fila a la derecha. Seguro que Miguel había visto a alguien interesante también.

Miguel no solo había visto a alguien. A pesar de haber entrado solo a la facultad, salía acompañado. Su primer día no se parecía en nada al de Gorka. Las cla-

cumplir con algo: hacer el mínimo de lo que se tenía que hacer.

Rosendo: cantante de rock madrileño.

ses habían sido puras presentaciones, como las del instituto, de quince minutos. El resto del tiempo lo había pasado con alguna gente de clase. La cosa prometía ser, por lo menos, divertida. Llegó un cuarto de hora tarde a la cita. Gorka estaba más impaciente que enfadado. Por contar y por saber. Miguel llegaba **con una sonrisa de oreja a oreja** y con un libro en la mano.

– ¿Qué tal, tío? ¿**Cómo es que** llegas tan tarde?

– Nada, lo siento, es que **me he enrollado** ahí hablando con **un tío** de mi clase que me ha dejado este libro. Mira.

– No lo conozco, ¿quién es?

– ¡Tío!, ¡si es Kundera! ¿No has leído "La insoportable levedad del ser"?

– Pues no...

– Te lo dejo un día, está **de puta madre**. Y este es uno que estuve buscando en **la Cuesta de Moyano** el otro día, me han dicho que es uno de los mejores...

– Bueno, pues me lo dejas y así me culturizas un poco –dijo Gorka con una sonrisa en los labios.

– Vale. Oye, ¿qué tal tus clases?

– Bueno, no ha sido nada especial... pero hay una tía super interesante...

– Tío, es que siempre estás pensando en lo mismo... A ver, y ¿cómo es?

– Mira, colega, es así de alta –señaló la altura aproximada de Irene–, tiene una cara súper dulce, el pelo rojo, azul y verde...

– Espera... ¿No será **grunge**? ¡No, tío, eso no!

– ¿Qué pasa? Parece súper interesante, sabes, en

estar a su rollo: *(coloquial)* estar metido en su propio mundo, sin prestar atención a lo demás.
pasar de algo, de alguien: *(coloquial)* no prestar atención a algo o a alguien.
mogollón: *(coloquial)* mucho.
ir flipado/a: *(coloquial)* aquí, ir muy concentrado/a.
¡tú flipas!: *(coloquial)* exclamación de rechazo ante algo que pensamos que es una exageración.

la peña: *(coloquial)* la gente.

tengo un hambre: *tengo un* + sustantivo estructura que funciona como sinónimo de "tengo mucho/a...".

clase **estaba a su rollo, pasaba mogollón de** la profesora, no sé, me ha gustado...

– Bueno, y ¿has hablado con ella o no?

– ¡Qué va, tío! Pero si la tía ha salido corriendo de la clase. Se ha ido para Biológicas, no tengo ni idea de para qué. **Iba toda flipada,** con los *walkman* puestos... Estaba más guapa...

– ¡Venga tío, **tú flipas**! Pues yo he estado hablando con los de clase...

– ¿Y qué tal?

– Pues no demasiado mal, ya te digo que he estado hablando con un chaval, Ramón, que me ha dejado el libro este. Además hay una que estaba en segundo de Sociología y se ha cambiado a Filología Inglesa. Dice que el campus de Somosaguas es una mierda, que **la peña** es muy pija, y que además la sociología no le estaba gustando nada. Se tienen que meter unos librazos en la cabeza...

– Ya... Oye, ¿te apetece hacer algo?

– Pues, de momento, **tengo un hambre**... ¿por qué no vamos a casa, comemos algo y luego ya pensamos?

III

Pacífico: estación de metro de Madrid y, por extensión, la zona de alrededor. Barrio residencial modesto.

parque del Retiro: el parque más grande del centro de Madrid.

Vivían en la calle Abtao, al lado de **Pacífico**. Le alquilaban un piso de tres habitaciones más salón, cocina y baño a un amigo común. La verdad es que estaban bastante contentos. Estaban cerca de todo: al centro tardaban diez minutos en llegar, tenían el **parque del Retiro** a un cuarto de hora andando y al mismo tiempo el suyo era un barrio muy tranquilo. Con los vecinos todavía no habían tenido mucho contacto. Se habían mudado allí hacía unos diez días y estaban aún conociendo el barrio.

La habitación de Miguel era la más grande de todas. Tenía la pared llena de fotos: del romántico viaje a Granada que había hecho con José, de su mejor amiga del instituto, del primer día en el piso con Gorka... también había colgado un par de posters; uno de "El beso" de Klimt y otro de una foto de Helmut Newton en la que una chica rubia miraba intensamente a una maniquí sospechosamente parecida a ella. La decoración de momento era sobria, no había mucho. A los

no tener nada que ver (algo con algo): no tener ninguna relación una cosa con otra.

pies de la cama había un montón de cajas abiertas con libros, un armario que también estaba abierto, una silla con un montón de ropa... En cambio, la habitación de Gorka **no tenía nada que ver**. Era un poco más

un armario empotrado: armario que no es un mueble, sino que está construido en la pared.

pequeña que la de Miguel. Una cama, una mesa para el ordenador, una pequeña estantería colgada en la pared para poner el casette y las cintas y **un armario empotrado** era todo lo que había. Y todo en un orden exquisito.

Justo después de llegar a casa, sonó el teléfono. Era Andrea, una amiga de Miguel. Había planes para el fin de semana. Álvaro, uno de los mejores amigos de Miguel y Andrea, organizaba una maxi-fiesta en su casa. Gorka y Miguel dijeron que irían. Además, Andrea quería saber si tenían planes para esa tarde. Miguel, que era el que estaba hablando con ella, miró a Gorka como preguntándole qué tenía que decir. Gorka **se encogió de hombros**. Andrea podía ser muy pesada a veces: le encantaba hablar; de cualquier cosa, pero hablar. Eso a Miguel le ponía un poco nervioso, pero se llevaba muy bien con ella. Gorka aún no la conocía mucho, aunque ya habían salido un par de veces. En realidad, le estaba empezando a gustar, pero era un secreto. Ni siquiera a Miguel se lo había dicho todavía. Andrea no era demasiado alta, medía aproximadamente uno sesenta y cinco. No estaba demasiado delgada, pero estaba muy bien proporcionada. Tenía los ojos negros y una mirada que enamoraba. A Gorka le parecía increíblemente atractiva. El pelo, negrísimo, lo tenía largo y liso. Tenía veinticuatro años. Había terminado precisamente Periodismo y estaba en el paro, haciendo un cursillo de enseñanza del español para inmigrantes y yendo a clases de alemán al mismo tiempo.

encogerse de hombros: elevar los hombros a un tiempo; gesto que hacemos cuando no sabemos qué hacer o qué decir.

Al final, quedaron a las siete en casa de Andrea para ir al cine. Cada uno tenía que pensar una propues-

echarse la siesta: en España es costumbre, cuando se tiene tiempo, dormir un rato después de comer.

ta. Gorka dijo que no tenía hambre, no quería comer nada, y que se iba a **echar la siesta** un rato. Miguel lo miró extrañado, era muy raro ver a Gorka sin comer, tenía que ser por una razón poderosa.

– ¿Te pasa algo, Gorka?
– No, ¿por qué?
– No sé, como no quieres comer...
– No, es que se me ha quitado el hambre... Además, estoy un poco cansado y prefiero echarme un rato la siesta antes de ir al cine, que si no, luego me duermo viendo **la peli** y **no es plan**...

una peli: *(coloquial)* abreviatura de película.

no es plan: *(coloquial)* no está bien.

Gorka sonrió nervioso.

darle tiempo a alguien a hacer algo: tener tiempo de hacerlo.

– Vale, vale, ¿te llamo a alguna hora?
– Sí, sobre las cinco y media, así **me da tiempo a** ducharme y a prepararme, ¿vale?
– Sí, te llamo entonces a las cinco y media, chao.
– Hasta luego.

Y Gorka se metió en la habitación. Miguel se quedó solo en la cocina. Él sí tenía hambre, y mucha, así que decidió prepararse algo. La nevera tenía un aspecto casi macabro... no había prácticamente de nada. "¡Una pasta con ajo y aceite de oliva no es tan mala idea!", se consoló. Tuvo que comer solo, a pesar de que no le gustaba nada. Le parecía muy triste y tenía la teoría de que si se comía en soledad, la comida podía **sentar mal**. Estaba comiendo en el salón y pensando en la fiesta del fin de semana. Hacía mucho

sentarle mal (algo a alguien): hacerle daño (sobre todo, una comida o una bebida).

bar de ambiente: bar frecuentado especialmente por lesbianas y gays. También se puede aplicar a otros locales, como cafés, discotecas...

un portazo: un golpe muy fuerte dado con una puerta.

tiempo que no veía a Álvaro y le apetecía mucho. Habían pasado muchas cosas juntos. Los primeros chicos, las primeras salidas por los **bares de ambiente**, las primeras grandes confesiones, los primeros miedos. Con él se lo pasaba muy bien, se reía y además sabía que podía confiar en él. Siempre había pensado que la amistad entre chicos era más fuerte y segura que con las chicas. Estaba pensando en esto y sonó el teléfono. Miguel, al oír la voz, se quedó pálido. No se esperaba esa llamada.

Antes de dormirse, Gorka oyó un **portazo**.

IV

EZLN: Ejército Zapatista de Liberación Nacional.
Chiapas: Estado del sur de México. Zona conflictiva donde grupos de indígenas defienden sus intereses contra el gobierno mexicano.

ONG: Organización No Gubernamental. Muy de moda en España, han sido las encargadas de canalizar en los últimos años gran parte de los movimientos sociales.

Irene llegó tardísimo a su casa. La reunión en el Colectivo, como siempre, duró muchísimo. A Irene le encantaban las discusiones políticas, así que se quedó hasta el final. La reunión en principio era para organizar unas conferencias sobre el **EZLN** y la situación en **Chiapas**. Había gente del colectivo que estaba en contacto con alguna **ONG** que se encargaba de mandar ayuda a México y de distribuirla allí entre los poblados de Chiapas. Primero expusieron la situación que había allí y dijeron qué había que hacer para traer a los invitados. Una chica dijo que sabía con quién había que hablar para conseguir el permiso de la Universidad para organizar las conferencias y conseguir alguna sala. Otra persona dijo que después podían hacer otras sobre la situación en Cuba. Que tenía una amiga que trabajaba allí y que conocía gente que podía venir y explicarlo todo. Entre unas cosas y otras, terminaron a las cinco de la tarde.

Volvió con un compañero del Colectivo que había conocido hacía unos días: Álvaro, un chico que estaba en cuarto de Matemáticas. Era un chico súper interesante; a Irene le encantaba hablar con él. Volvieron

La Lupe: bar que se encuentra en la calle Torrecilla del Leal, en el barrio madrileño de Lavapiés. Funciona como café, pub y, los fines de semana, discoteca de ambiente.

juntos porque vivían los dos en Lavapiés, solo que él vivía en la calle Torrecilla del Leal, muy cerquita de **La Lupe**. Álvaro estaba muy contento ese día, además de porque parecía que iba a ser un año bastante activo en la "uni", porque ese año uno de sus mejores amigos empezaba la carrera. Hablando de él llegaron a la estación de Lavapiés y se despidieron.

las vacas locas: conocida enfermedad de las vacas, iniciada en Gran Bretaña en la segunda mitad de los años 90, que provocó gran alarma social, disminuyendo su consumo.

La señora Juliana, la abuela de Irene, había nacido en el barrio hacía más de ochenta años. Siempre compraba el pan y la leche en la panadería de la calle Miraelrío Alta. Para la fruta y la verdura iba al mercado. Los lunes comía pescado, recién llegado de la costa, fresquísimo. Se convirtió en vegetariana a la fuerza desde que las **vacas se volvieron locas**. Su nieta Irene se reía mucho cuando pensaba en lo moderna que era su abuela sin saberlo. La señora Juliana estaba también muy contenta. El verano no lo soportaba porque con el calor le dolía todo. En invierno hacía demasiado frío y le dolía todo por el reúma. Y en primavera le venía la maldita alergia y no podía respirar. Así que estaba contentísima de estar en otoño, su estación preferida, porque ya empezaba el fresco y le hacía sentirse mucho mejor. Cuando llegó Irene, estaba durmiendo la siesta, pero se despertó al oír la puerta.

– ¡Niña! Te han llamado por teléfono.

– ¡Hola abuela! ¿Quién era?

– ¡Huy! Pues ahora no te sé decir... un chico, eso seguro...

– ¡Es que hay que ver cómo eres, abuela! ¡Siempre me haces lo mismo!

...*sonó el teléfono. Le faltó tiempo para salir corriendo a su habitación, tenía que llegar antes que su abuela.*

– ¡Hija! ¿Qué quieres que le haga? Una no está ya para andar acordándose de cada fulano que te llama, Dios sabrá para qué...

–¡Abuela!

–¿Es o no es? Oye, ¿has comido?

–La verdad es que no...

meterse en la vida de alguien: aquí, interesarnos por su vida y actuar como si fuera nuestra.

cocido (madrileño): comida típica de Madrid. Consiste en un guiso de garbanzos con diferentes carnes y verduras. Se sirve en tres platos: de primero una sopa, de segundo garbanzos y de tercero la carne y el pollo.

culebrón: serial televisivo de poca calidad y muchos capítulos.

La señora Juliana se levantó y se fue a la cocina. Nada como la comida para tranquilizar a una bestia furiosa. Irene podía serlo cuando la abuela **se metía en** su vida, y Juliana lo sabía, así que inteligentemente le puso delante un buen plato de **cocido** y a Irene se le olvidó el enfado. Se le pasó el enfado, pero se quedó pensando en quién podía haberla llamado. No tuvo que pensar mucho; de todas maneras, estaba terminándose el cocido y sonó el teléfono. Le faltó tiempo para salir corriendo a su habitación, tenía que llegar antes que su abuela. Pero la señora Juliana ya estaba otra vez sentada en el salón, viendo Corazón Herido, su **culebrón** favorito.

– ¿Diga?

– Hola, Irene, soy Álvaro.

– ¡Ah! Hola, oye, ¿has llamado tú hace un rato?

– Sí, en cuanto he llegado a casa. Es que he estado hablando con unos amigos, porque voy a hacer una fiesta este fin de semana y he pensado que te podías venir, ¿no?

– ¿Qué día? Porque yo el sábado me levanto muy pronto... tengo que ir con mi abuela a hacer la compra **por cojones**.

por cojones: *(muy coloquial)* obligatoriamente.

a eso de las...: aproximadamente a las...

– De puta madre, porque hemos quedado para el sábado por la noche. No sé, **a eso de las** diez o por ahí...

– ¿Tan pronto?

– Bueno, si quieres, ven más tarde, pero llámanos antes, porque a lo mejor luego salimos, ¿vale?

– Bueno, de todas maneras, te veo pasado mañana en el colectivo, ¿no?

– No sé todavía si voy a poder ir, pero en cualquier caso, hablamos.

– Vale, entonces, hablamos.

– Venga.

– Hasta luego.

– Adiós.

por narices: *(coloquial)* aquí, seguro que.

Irene se puso muy contenta. Le encantaban las fiestas y conocer gente, y Álvaro era un tío tan interesante que **por narices** tenía que conocer a gente interesante. Decidió ir a la fiesta el sábado.

V

plaza de Chueca: plaza situada en el centro de Madrid y, por extensión, toda la zona de alrededor, conocida por la cantidad de bares y discotecas de ambiente que hay.

Quedó en **la plaza de Chueca**, en el café Acuarela. Llegó un poco tarde, pero aún no estaba allí. Miguel estaba muy nervioso. Desde la última vez que se habían visto, hacía ya un año, no había vuelto a saber de él, José, su gran amor. Empezó a recordar todos los grandes momentos: cuando a la semana de conocerse José le dijo que le gustaba; cuando fueron, como de luna de miel, a Segovia y se perdieron buscando un restaurante barato; cuando, poco antes de la crisis final, estuvieron pensando si ir a Holanda, si era posible casarse, a pesar de que antes habían dicho miles de veces que su relación no era un matrimonio y que no querían eso...

Sin embargo, la suya nunca había sido una relación perfecta. Salieron poco tiempo, unos seis meses, pero a Miguel todavía se le ponía una sonrisa en la cara cuando se acordaba de ellos. ¿Por qué acabó tan mal? Todo por un desencuentro, lo mismo de siempre. Miguel no se entregaba a José todo lo que José pensaba que tenía que entregarse y José era demasiado posesivo para Miguel. Al final, después de pasar una semana **en la sierra** con otros amigos, hacía de eso ya casi dos años, decidieron que no tenía sentido seguir,

en la sierra: referencia a la Sierra de Guadarrama, montañas al noroeste de la Comunidad de Madrid. Zona de descanso y recreo para muchos madrileños.

que era mejor separarse. Nada trágico, eran dos personas adultas. Pero en el fondo Miguel nunca dejó de pensar que la cosa podía haber funcionado. Al oír la voz de José por teléfono sintió algo sin saber exactamente qué.

Estaba en el café Acuarela. Hacía mucho tiempo que no iba, pero no había cambiado, seguía con una decoración tan rebuscada y barroca como siempre. No había mucha gente. El camarero se acercó y le preguntó si quería algo. Tenía un acento raro, se le ocurrió que podía ser polaco. Le pidió una cerveza. De repente dejó de ver: alguien le había tapado los ojos.

– ¿Quién soy? –le preguntó una voz de sobra conocida.
– ¡El enanito gruñón de Blancanieves!

Los dos empezaron a reír, en parte por nervios y en parte porque estaban muy contentos de verse otra vez. Miguel se levantó y se dieron un abrazo largo y fuerte.

– ¿Qué tal, Miguel? ¿Cómo te va?
– Bien, tío... hoy he tenido mi primera clase en la facultad.
– ¿Y?
– Nada, bien. La verdad es que no hemos tenido ninguna clase todavía, hoy ha sido la presentación, y tú ¿qué tal?, ¿sigues **currando** en la **FNAC**?

currar: *(coloquial)* trabajar.
FNAC: centro comercial de capital francés donde se puede comprar libros, discos y vídeos.

– Sí, allí estoy. Me han dicho que a lo mejor me hacen encargado de planta.

– ¡Qué **guay**! ¿Sigues en los discos?

– Pues sí, mira, yo de libros no tengo mucha idea –dijo José y se rio sinceramente.

– Ya, también es verdad –sonrió también Miguel.

De repente, después de **ponerse mínimamente al día**, cayó un gran silencio entre los dos. Parecía que ninguno sabía qué decir. José miraba fijamente a Miguel. Sonreía. A Miguel no le gustaba sentirse ídolo ni dios de nadie. Nunca le había gustado. José siempre lo había tratado como a alguien superior. José tenía veintiséis años y él solo veinte. ¿Cómo podía ser que una persona mayor, con más experiencia, más madura se sintiera inferior que otra mucho menor que él? Miguel se empezó a sentir incómodo. José seguía sonriendo.

– Bueno, y ¿qué has hecho últimamente? –preguntó Miguel, intentando empezar una conversación.

– Echarte de menos.

– No empieces, José, en serio te lo digo –José se puso muy serio y miró fijamente a Miguel.

– Yo también estoy hablando en serio. Todavía no puedo entender por qué no estamos juntos.

– Sabes perfectamente por qué. No somos capaces de estar juntos más de media hora sin discutir.

– Eso no es cierto, lo que pasa es que tú siempre tienes ganas de discutir.

¿cómo voy a...?: *(co-loquial)* equivalente de "¿cómo puedes pensar que yo...?"

– Pero ¿**cómo voy a** tener ganas de discutir? –Miguel empezó a elevar el tono, pero no se dio cuenta.

– No me grites. La cosa es bastante sencilla, sólo tienes que contestar a una pregunta: ¿tú me quieres?

Sin embargo, la cosa no era tan sencilla. ¡Claro que lo quería! Incluso antes de verlo, hacía un cuarto de hora, pensó que a lo mejor podía volver a sentir algo al tenerlo delante. Ahora que lo tenía, se daba cuenta de que lo que sentía no era más que una cierta nostalgia por los momentos que habían pasado juntos. Tenía la certeza de que aquellos momentos no iban a repetirse. No podían empezar nada de nuevo. Y al mismo tiempo sabía que a José lo unía un sentimiento de cariño muy fuerte. Pero, ¿cómo explicárselo y no enfadarlo ni hacerle daño? Miguel no tenía ni idea. José le gustaba, pero no quería volver con él.

– Te he preguntado una cosa. ¿Me quieres o no?

– José, esa pregunta no es tan sencilla.

– Tanto como decir "sí" o "no".

– Te aprecio mucho, me gustas como persona, me encantaría tenerte como amigo, cerca de mí...

– ¿Pero...?

– Pero yo no creo que la mejor idea sea intentar otra vez algo que sabemos, o por lo menos yo sé, que no va a funcionar. Yo prefiero...

la hostia de...: *(muy coloquial)* muy.

– Yo, yo, yo, ¡tío! ¡eres **la hostia de** egoísta!

– ¿Ves? No podemos hablar como personas normales, enseguida empezamos a gritarnos. Así no nos podemos entender, José. –Miguel se quedó pensando, quería irse de allí, volver a casa y luego ir al cine con Andrea y Gorka– Mira, creo que me voy a ir, es mejor que sigamos sin vernos otro tiempo. Ya veremos después.

– No, no te vayas. Perdona...

– De verdad, José, no quiero hacerte daño y no quiero que me lo hagas tú. Prefiero seguir como estábamos. No quiero volver a empezar.

– Miguel, no me dejes así... –aquello ya sonaba a súplica, pero Miguel se levantó. Tenía los ojos llenos de lágrimas.

– José, –lo miró– me voy. No me llames, no me busques, tenemos que convencernos de que podemos vivir sin el otro. Es mejor, ya lo verás...

– ¡Yo lo que sea mejor **me lo paso por los cojones**! –José se levantó y salió corriendo.

pasarse algo por los cojones: *(vulgar)* dar igual, no hacer caso.

Miguel se dio cuenta de que la gente lo estaba mirando. Se volvió a sentar en la silla. Se limpió las lágrimas y la nariz y se quedó mirando a las cervezas, que no habían probado. ¿Por qué todo siempre tenía que salir mal? No era el primer chico con el que le pasaba eso. Llamó al camarero y le pagó las dos cervezas. Se levantó y salió del café.

VI

Se despertó por el teléfono. Lo empezó a oír en sueños y **le costó trabajo** darse cuenta de que era el teléfono de verdad el que estaba sonando. Se levantó lo más rápido que pudo y fue al salón corriendo. Cuando llegó al teléfono, colgaron. "¡**Mierda**!", pensó Gorka "después de despertarme, **van** y cuelgan". Se **frotó** los ojos como para quitarse el sueño de la cabeza, y miró el reloj que estaba colgado en la pared. "¡**Coño**! ¡Si ya son las seis y cuarto!". Fue a buscar a Miguel a su habitación y cuando vio que no había nadie, se acordó del portazo de antes de dormirse. ¿Dónde habría ido?

Pensó que lo más inteligente era ir a casa de Andrea y ver allí qué pasaba. Se metió en la ducha. "Me tengo que dar mucha, pero que mucha prisa!". Cantando una canción del último disco de **Sabina**, mientras se lavaba la cabeza, pensó quién podía haber llamado.

VII

Eran las seis y media. Andrea estaba saliendo de la ducha y llamaron al **telefonillo**. "¡Joder con la propaganda!".

– ¿Quién?
– Andrea, soy Miguel.
– Sube.

¿Por qué vendría tan pronto? Miguel no era lo que se dice puntual y además tenía que venir con Gorka, que era mucho peor que él: como mínimo llegaba un cuarto de hora tarde. Vamos, que era muy raro ver a Miguel media hora antes de la hora. Llamó al timbre.

– ¡Hola!, ¿cómo es que llegas tan pronto? –le notó algo raro. Tenía un brillo en los ojos que a Andrea no le gustó nada– ¿Te pasa algo?
– **Nada**, tía, acabo de estar con José...
– ¡¿Qué?! ¡¿Con José?! **¿Y eso?**
– Nada, me ha llamado antes, justo después de hablar contigo y me ha dicho que estaba mal, que si

en plan...: *(oral)* aquí, "como".

capullo: *(coloquial)* idiota.

poner verde (a alguien): *(coloquial)* hablar mal de alguien.

sonarse los mocos: limpiarse la nariz con un pañuelo.

pasarse (por un sitio): *(oral)* parar un momento en algún sitio.

coger el teléfono: contestar al teléfono cuando suena.

podíamos quedar. **En plan** amigos, ya sabes...

– Ya...

– Y, nada, pues hemos quedado. No quería ser tan **capullo** como para no ir, decía que estaba mal...

– ¿Y?

– Pues nada, hemos estado hablando y eso...

– Pero, ¿qué le pasaba?

– ¡Pues nada! No le pasaba nada, tía, se me quedaba mirando como un idiota y yo no sabía qué hacer...

– Bueno, ¿y tú?

– ¿Qué?

– Que cómo te has sentido... vamos, que si has sentido algo...

– Pues... sí y no, pero vamos, que no, que no quiero volver con él ni nada por el estilo.

– Ya, pues tío... y ¿qué ha pasado después?

– ¿Qué va a pasar? Que hemos empezado a discutir, que si tú eres un egoísta, que si tenemos que intentarlo, que si me quieres, que si te quiero... En fin, lo de siempre, al final me he puesto a llorar, se ha largado **poniéndome verde** como siempre y allí me he quedado, como un gilipollas, **sonándome los mocos** y mirando por la ventana.

– Joder, tío, y ¿cómo estás?

– Pues regular, no sé... Creo que no me apetece mucho ir al cine esta tarde, por eso **me he pasado**. He llamado a Gorka antes para avisarle, porque él estaba durmiendo cuando he salido de casa, y no lo **ha cogido**. Habría salido ya para venir.

– ¡Seguro! ¡Con lo puntual que es!

la filmo: abreviatura de la Filmoteca Nacional, situada en el Cine Doré, en Madrid (también en el barrio de Lavapiés). Actualmente, funciona como cine donde se organizan ciclos especializados; asimismo se proyectan reposiciones o muestras de cine actual.

una birra: *(coloquial)* una cerveza.

pirarse: *(coloquial)* irse.

¡yo qué sé!: *(oral)* aquí, expresión de indecisión y frustración.

llamarme: llamadme. En la lengua oral es común la sustitución de la "d" del imperativo de segunda persona del plural por una "r".

– Bueno, tía, no sé. El caso es que no le he encontrado. Yo creo que me voy a ir a casa y, no sé, haré algo, no sé, no me apetece salir...

– Tío, pues yo he estado buscando y en **la filmo** echan una de Tavernier a las ocho. Me han dicho que está de puta madre.

– No, tía, creo que no..

– Vente, y nos vamos después a tomar **una birra** a La Lupe. Así te animas, ya verás...

– No, de verdad, **me piro** a casa.

– Bueno, colega, pues nada...

– Dile a Gorka que no sabes nada... O no, mejor dile que he estado pero que no voy a ir, que no te he dicho nada...

– Pero tío...

– Bueno, o dile lo que quieras, **¡yo qué sé!**

– Venga, chico, vete a casa y descansa, hablamos luego, si vamos a La Lupe, ¿vale?

– Bueno, **llamarme**...

– Dame un beso, anda...

– Hasta luego...

– Venga, chao.

VIII

algo...: aquí, un poco.

Andrea se quedó **algo** preocupada, pero no le dio demasiada importancia. Al fin y al cabo, no era tan trágico. Miguel probablemente necesitaba estar solo, y en esos casos, mejor quedarse en casa. Miró el reloj y vio que eran las siete menos diez. ¡Y todavía no estaba ni vestida ni nada!

Gorka salió de casa a las siete. Siempre le pasaba lo mismo, pero esta vez estaba muy enfadado consigo mismo; hoy había quedado con Andrea, y no le gustaba llegar tarde a esa cita... Le hacía sentirse aún más estúpido... Además de ponerse nervioso por ella misma, llegaba tarde... **desde luego**, tenía que ser la última vez. Como siempre que llegaba tarde, se le escaparon los dos metros que tenía que coger y tuvo que ir corriendo a todas partes. Al final, a las siete y veinticinco llegó al **portal** de Andrea...

desde luego: aquí, expresión de desaprobación.

el portal: puerta de entrada a un bloque de pisos.

– Joder, tío, ¿es que no eres capaz de ser puntual cuando quedas?, ¿cómo lo haces para llegar siempre tarde?

– Lo siento, de verdad, es que me tenía que despertar Miguel, y se ha ido...

no sé, digo yo...:
(oral) forma retórica
que en realidad se usa
cuando se está seguro
de llevar razón o de
estar diciendo algo
que parece evidente o
lógico.

– Ya, tío, pero para eso están los despertadores, **no sé, digo yo...**

– Que sí, que sí... Si tienes razón, pero...

– Bueno, es igual, vamos corriendo, que al final no llegamos.

– ¿Dónde vamos? ¿Ya has decidido?

– Pues sí, querido, ¿tú has pensado alguna propuesta?

– No, es que...

– Es igual, vamos.

Salieron casi corriendo de casa de Andrea en dirección a la Filmoteca. No estaba muy lejos (Andrea también vivía en Lavapiés) pero primero tenían que comprar las entradas. Gorka estaba un poco nervioso, pero pensaba que podría controlar la situación.

– Oye, Andrea, ¿qué ha pasado con Miguel? ¿Sabes algo de él?

– Sí, ha pasado por casa a las seis y media. Me ha dicho que no viene, pero a lo mejor viene después, si vamos a tomar algo...

– Ah, vale. Pero, ¿ha pasado algo? Iba a venir, ¿no?

– Ya te contará, nada grave, no te preocupes.

IX

– Que somos nosotros, que si te vienes.

La voz le sonó a Miguel como de ultratumba. Se había quedado dormido y lo que menos le apetecía era salir a tomar algo y además tener que dar explicaciones de lo que había pasado y de por qué estaba así.

qué va: *(oral)* negación enfática.

ir: en la lengua oral es común la sustitución de la "d" del imperativo de segunda persona del plurar por una "r".

si: aquí la conjunción "si" no introduce una oración condicional, sino que es un recurso para intentar convencer a la otra persona. Por ejemplo, cuando un niño no se quiere comer una sopa, se le dice: "Cómetela, si está muy rica".

que sepas que: *(oral)* sinónimo de "que quede claro que".

ser un petardo: *(coloquial)* aquí, aburrido.

– **Qué va**, me había quedado dormido. Creo que no voy, **ir** sin mí, yo me quedo viendo un rato la tele. Mañana nos vemos, ¿vale?

– Bueno, tío, pero dice Gorka que quiere hablar contigo, te lo pongo.

– Vale.

– ¿Migue? ¿Qué pasa, tío?

– Nada, ya te cuento luego o mañana. No me apetece salir, en serio. ¿Qué tal la peli?

– Bien, bien, una francesa... Pero escucha, **si** es sólo una cerveza, que yo mañana tengo clase y tengo que madrugar...

– No, de verdad, tomaros una a mi salud, ¿vale?

– Bueno, como quieras. Pero **que sepas que eres un petardo...**

El miércoles por la mañana Miguel ya estaba de mejor humor. Mientras desayunaban, le preguntó a Gorka qué tal le había ido con Andrea.

– Vale, pesado...

– Bueno, pues nada, que duermas bien, un beso...

– Hasta mañana.

– Buenas noches.

Así que se quedaron solos Andrea y Gorka. Se miraron. Se sonrieron.

– Bueno, pues nada. ¿Vamos a La Lupe? –preguntó Andrea.

– Ese ya lo conocemos, podíamos ir a otro sitio...

– ¿A dónde?

– Tú has decidido el cine, ahora **me toca** a mí.

– ¡Guau! ¡Nunca te había visto así de decidido!

– Es la tercera vez que nos vemos...

– La cuarta.

– Si tú lo dices... Vamos por aquí.

Gorka se empezó a sentir más seguro de sí mismo. De repente, le pareció que no sería tan difícil. Le pareció que se iban a gustar...

tocarle (a alguien): ser el turno de esa persona.

X

liarse (con alguien): *(coloquial)* tener algún tipo de contacto físico con alguien. Es un término muy general que se puede concretar de muchas maneras, dependiendo de la persona que habla.
tenerlo fácil/difícil: resultarle una situación fácil/difícil a alguien.

mogollón de: *(coloquial)* muy.

burlarse: reírse de alguien.

un montón de...: *(coloquial)* mucho.

El miércoles por la mañana Miguel ya estaba de mejor humor. Mientras desayunaban, le preguntó a Gorka qué tal le había ido con Andrea. En el fondo, Miguel ya intuía algo de lo que podía sentir su compañero de piso, pero estaba casi seguro de que no iba a pasar nada. Andrea era muy seductora, pero estaba en una fase de asexualidad total; no le interesaba **liarse** con nadie, simplemente no quería. Gorka **lo tenía difícil** si quería conseguir algo de ella.

– Pues tío, una cosa **mogollón de** rara, no sé, fuimos al Maloka, el bar ese brasileño que hay en Lavapiés y de puta madre, muy bien. Yo pensaba que guay, que podía pasar algo, no sé...

– Vaya, que pensabas que os ibais a liar y luego nada –**se burló** Miguel.

– Pues más o menos sí. No sé, el caso es que estuvimos allí hablando **un montón de** tiempo y luego, así, sin más, resultó evidente que cada uno se iba a su casa, que no había más que hablar ni que hacer. Así de sencillo. No sé, superraro...

– Bueno, pues nada, ya puedes dedicarte por com-

guapito de cara: expresión irónica que suele acompañar a una crítica.

¡hostias!: *(coloquial)* exclamación de sorpresa y, aquí, de desagrado.

hacer pellas: *(coloquial)* en la zona centro de España, no ir a clase.

...no me comas la cabeza...: *(muy coloquial)* déjame tranquilo.

pleto a esa de tu carrera. ¿Hoy tienes clase? –preguntó Miguel.

– Sí, pero no sé si voy a ir. **Guapito de cara,** ¿tú te acuerdas de que tenemos que ir a hacer la compra, de que no hay nada?

– **¡Hostias!,** ¡es verdad!

– Pues sí, pues sí...

– Bueno, pues yo con los de mi clase había quedado en que nos veíamos hoy en la facultad, pero...

– Pues me parece que hoy no los ves.

– Tío, ¿no te parece un poco fuerte empezar así el curso, **haciendo pellas**?

– Mira, tío, **no me comas la cabeza** y métete en la ducha, que nos vamos ya.

– Vale, vale, ¡qué tío!

XI

Sin embargo, Irene sí fue a clase. En el fondo era mucho menos alternativa y radical de lo que creía. Fue a clase en parte por pasarse por el colectivo y ver a Álvaro. Quería concretar lo del sábado; entre otras cosas dónde era, porque no tenía la dirección exacta y no le apetecía perderse.

Fue, efectivamente, a la Facultad de Biológicas, después de una clase terrible (que decidió eliminar de su calendario, como la primera) que se llamaba Maquetación e Impresión de un Diario. Llegó al colectivo, pero no sabía que los miércoles se reunía otro grupo de trabajo, no el grupo de internacional. Estaban discutiendo cómo organizar una manifestación por la **abusiva** subida de **las tasas**. A Irene le interesaba el tema, pero estaba allí para ver a Álvaro, no para hacer la revolución. Como él no estaba, se fue a su facultad a comer algo.

Álvaro estaba en su casa, sentado en la cama con el teléfono al lado. Siempre le habían gustado los teléfonos de cable largo. Estaba aún en pijama. No tenía una figura escultural, pero tampoco estaba mal. Era al-

abusivo: *(adjetivo de abusar)* exagerado.
las tasas: los impuestos que tienen que pagar los estudiantes de la universidad. Últimamente, en España han provocado numerosas protestas porque los estudiantes consideraban que eran demasiado altas.

to y guapo: tenía los ojos enormes y negros, con una mirada penetrante y misteriosa. De cuerpo era más bien normalito; ni un Schwarzenneger, ni **un chichinas**.

Mientras escuchaba música clásica, estaba llamando a toda la gente que podía para invitarla a la gran fiesta del sábado. Nadie lo sabía, pero era su cumpleaños. Nunca lo había dicho porque no le gustaba todo el espectáculo que se forma alrededor de los cumpleaños, pero ese año tenía el capricho de **celebrarlo**. Le apetecía mucho **montar** algo grande, pero la gente no tenía por qué conocer el motivo de la fiesta. De momento había veinticinco personas invitadas. Probablemente cada una traería a alguien más, o sea que la diversión ya estaba garantizada.

un chichinas: forma cariñosa sinónima de "flaco".

celebrarlo: organizar algún tipo de fiesta para una ocasión especial.
montar: aquí, organizar.

XII

Sábado por la mañana. Irene, Gorka, Andrea, Miguel y Álvaro. Algunos **estaban de resaca**, durmiendo porque si no no aguantarían la fiesta de por la noche. Otros, como Irene, haciendo la compra que durante la semana no tenían tiempo de hacer. Pero todos **tenían la mente puesta en** esa noche.

En la frutería, la señora Juliana estaba pidiendo un kilo de uvas: "Pero que sean buenas, ¿eh?, ¡no como las de la semana pasada, que la que no estaba podrida, amargaba!", le decía al frutero. En realidad toda la conversación era un puro trámite, una especie de teatro de la queja. Para ser sinceros, a la señora Juliana no le gustaban nada las uvas, y nunca las comía, pero le gustaba ser respetada, y ella pensaba que la queja era su mejor arma para hacerse respetar. Normalmente a Irene le gustaba **asistir a** ese teatro, pero el sábado estaba en otra parte, en otro lugar. Cuando, mientras cambiaban de tienda para comprar otra cosa, su abuela Juliana le comentó "Hay que ver lo **sinvergüenza** que es el frutero, ¡**pues no me quería** vender las uvas podridas!", Irene no le prestó la menor atención. No le hizo caso; sencillamente, estaba ocupada recordando la explicación que le había dado Álvaro el viernes

estar de resaca: *(coloquial)* tener resaca; estado típico del día siguiente a haber tomado una gran cantidad de alcohol.
tener la mente puesta en algo: pensar solo en eso.

asistir a: aquí, presenciar, estar presente cuando algo pasa.
sinvergüenza: que no tiene vergüenza, maleducado; aquí, poco fiable.
¡pues no me quería...!: forma con mucha carga expresiva de decir "¿te puedes creer?, ¡me quería...!"

como si tal cosa: indiferente.

de cómo llegar a su casa. Menos mal que la abuela tampoco se daba cuenta, y seguía con sus quejas **como si tal cosa**.

Gorka y Miguel eran los que estaban de resaca. El viernes habían salido, no hasta muy tarde, pero habían bebido bastante. Se levantaron a la una de la tarde, con un hambre impresionante. "¡Menos mal que antes de ayer compramos algo para comer; si no, me muero ahora mismo de hambre!", pensó Gorka al levantarse.

hacer footing: *(del inglés)* correr como ejercicio físico.

una terraza: en el parque del Retiro, como en muchos otros lugares, especialmente en verano, es frecuente que los bares pongan algunas mesas y sillas en la calle donde se toman las consumiciones en vez de dentro del bar.

estanque: lago artificial. En el parque del Retiro hay uno, donde se puede alquilar barcas y navegar.

hacer el vago: *(oral)* no hacer nada.

Mario Benedetti: escritor uruguayo. Autor tanto de relatos como de novelas, poesía y obras de teatro. Algunas de sus obras son: "Gracias por el fuego", "Primavera con una esquina rota", "Montevideanos" o "Pedro y el capitán".

En cambio, Álvaro, que era un chico mucho más sano, se levantó prontito para poder hacer un poco de **footing**. Se fue al Retiro a las ocho y media de la mañana y estuvo allí corriendo una hora. Luego se tomó un café en **una terraza** cerca del **estanque** y volvió a su casa. Tenía mucho que preparar para la noche.

Andrea, por su parte, no se despertó muy tarde, sobre las once, pero le apetecía **hacer el vago**, así que se quedó en la cama leyendo hasta la una y pico. Estaba con un libro muy bonito que le había regalado Miguel hacía unos meses y que no había empezado hasta entonces. "Gracias por el fuego", de un tal **Mario Benedetti**. Era la primera vez que oía ese nombre, pero el libro le estaba gustando mucho. Tenía gusto, Miguel, tenía mucho gusto con los libros. Cuando le pareció que ya estaba bien de hacer el vago, se levantó y bajó a por el periódico y a comprar un par de cosas que se le habían acabado. Ya estaba pensando en la noche, ya quería estar allí.

PÁRATE UN MOMENTO

DESPUÉS DE LEER...

Antes de seguir leyendo, vamos a hacer un descanso para reflexionar un poco sobre la historia, sobre qué ha pasado y qué puede pasar.

1. Completa esta tabla, relacionada con los chicos de la peña:

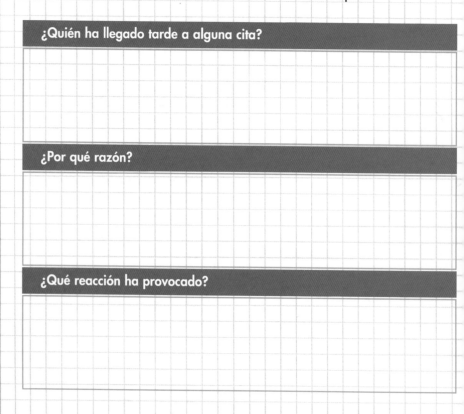

¿Quién ha llegado tarde a alguna cita?

¿Por qué razón?

¿Qué reacción ha provocado?

2. Completa la siguiente ficha con la información que aparece en la historia de cada uno de los personajes.

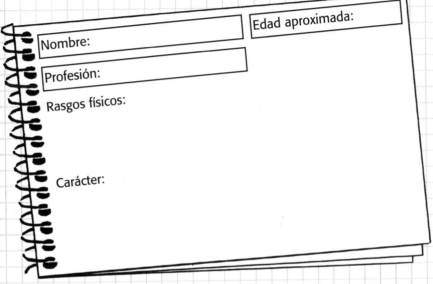

Nombre:

Edad aproximada:

Profesión:

Rasgos físicos:

Carácter:

¿Cuál de los personajes te resulta más interesante? ¿Con cuál te sientes más identificado? Coméntalo con tus compañeros.

3. Teniendo en cuenta los personajes que han salido hasta este momento, ¿qué parejas crees que se formarán al final de la historia? Une los nombres de las dos columnas y comenta las respuestas con tus compañeros.

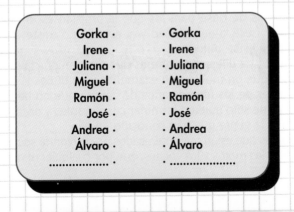

Gorka ·	· Gorka
Irene ·	· Irene
Juliana ·	· Juliana
Miguel ·	· Miguel
Ramón ·	· Ramón
José ·	· José
Andrea ·	· Andrea
Álvaro ·	· Álvaro
.... ·	· ....

4. Ahora tienes algo más de información sobre la universidad española. De la lista de características propias de los ambientes universitarios que te dábamos al principio del libro, solo algunas son compartidas por los personajes de nuestra historia. Decide cuáles.

· Gorka:
....
· Irene:
....
· Juliana:
....
· Miguel:
....
· Ramón:
....
· José:
....
· Andrea:
....
· Álvaro:
....

1. conciencia y activismo social y política
2. interés por la moda
3. interés por el mundo del corazón
4. inquietudes culturales
5. intolerancia
6. tendencia a romper moldes
7. objetivo principal: el dinero
8. generación idealista
9. obsesión por el sexo
10. fascinación por las drogas
11. estudio intensivo
12. reflexión sobre planes de futuro
13. competitividad feroz
14. creación de amistades verdaderas
15. predominio de criterios estéticos frente a valores éticos
16. relativismo

5. Al principio de la lectura, en función del dibujo de la portada, hiciste una hipótesis sobre el tipo de personajes que te ibas a encontrar. ¿Crees que has acertado? Justifica tu respuesta.

- estudiantes de doctorado para los que lo más importante en la vida es el estudio y la carrera profesional
- compañeros de clase para los que la amistad es lo único importante que les ofrece la universidad y el estudio no existe o es solo una excusa para estar juntos
- estudiantes de diferentes carreras que piensan que la universidad es algo más que un montón de exámenes y un título
- estudiantes de los últimos años de carrera que no tienen nada en común y que solo quieren terminar cuanto antes y olvidar la universidad y a toda la gente que han conocido en ella
- estudiantes que están más interesados por la crónica social, las revistas del corazón, las motos y los coches, que por cualquier otra cosa en la vida

XIII

A las diez, en casa de Álvaro, estaban solo él y Lola, una de sus mejores amigas, que había ido a su casa a tomar el café y a ayudarle a prepararlo todo. Todos llegaron, como suele pasar, tarde. En realidad, estaba claro que la gente empezaría a llegar sobre las diez y media, y **Álvaro no esperaba a nadie antes**. Llegaron amigos y amigas de la facultad, algunos con su novio o su novia, otros con más amigos. Todos llevaban algo de beber, sobre todo cerveza, cocacola y whisky. Andrea llegó sobre las once menos cuarto. Fue sola; esperaba encontrar allí a Miguel y a Gorka, pero aún no habían llegado.

La casa no era muy grande. Tenía dos habitaciones, el salón, una cocina grandecita y un cuarto de baño que estaba un poco viejo, sin **bañera** pero con plato de ducha. La decoración era lo mejor. No había mucha luz porque las lámparas **estaban tapadas** con telas de colores oscuros, pero se veía porque había velas por todas partes. El salón, que era donde estaba la mayoría de la gente, no tenía más muebles que unas estanterías llenas de libros. El suelo estaba lleno de **cojines** que lo hacían muy atractivo. Ya había sentadas unas cuantas personas.

A Andrea le gustó el ambiente; y además, estaba

Álvaro no esperaba a nadie antes: en la zona centro y sur de España sobre todo, está aceptado e incluso se da por supuesto el llegar tarde a fiestas organizadas en una casa. Si la hora de comienzo anunciada es las diez de la noche, generalmente nadie llega antes de las diez y media.

bañera: lugar donde se toma el baño. En la mayoría de casas en España hay bañera, aunque sea pequeña y es bastante raro encontrar en su lugar un plato de ducha.

tapar: cubrir, poner encima.

cojín: parecido a una almohada, pero que no se encuentra en la cama sino en los sillones o en el suelo.

Manu Chao: Manuel Chao, cantante del grupo Mano Negra. En solitario publicó el disco "Clandestino", que tuvo un grandísimo éxito comercial a pesar del contenido social de sus letras.

pasadas las...: *(oral)* más tarde de las...
un vodka: en español, al contrario de en otras lenguas, "vodka" es una palabra masculina.
verduzco: de color parecido al verde.

quedaba muy exótico: aquí resultar, también causar la impresión de...

abstraído: aquí, concentrado.

sonando el disco de moda. "Clandestino", de **Manu Chao**, era un disco que le gustaba mucho. De las cinco personas que estaban sentadas en el suelo, conocía a un chico de verlo en otra fiesta, así que se sentó y empezó a hablar con ellos.

Miguel y Gorka llegaron juntos **pasadas las** once. Llevaron una botella de **un vodka** rarísimo que una amiga de Miguel le había llevado de Polonia. "Zubrówka" ponía en la botella, que tenía metida dentro una pajita de hierba que le daba un color **verduzco** al vodka. No lo habían probado todavía, pero a Miguel le habían dicho que lo mejor era beberlo con zumo de manzana. Era algo raro, porque él estaba acostumbrado a beber el vodka con zumo de naranja, pero estaba dispuesto a probarlo. Además, **quedaba muy exótico** en aquella fiesta.

Andrea iba ya por la tercera cerveza y estaba muy graciosa. Gorka fue a saludar a unos amigos, mientras que Miguel se quedó en la cocina hablando con Álvaro, al que no veía desde hacía mucho tiempo. Estaban tan **abstraídos** contándose su vida, que cuando sonó el timbre no lo oyeron. Volvieron a llamar, pero no reaccionaron ni uno ni el otro. Al final, fue Gorka a abrir. La cara de sorpresa y un extraordinario brillo en los ojos se sucedieron en milésimas de segundo cuando abrió la puerta.

   – Ho... Hola, soy Gorka, pa... pasa, no te quedes ahí...
   – Yo soy Irene.

Gorka se acercó para darle dos besos, pero Irene se echó para atrás.

– Si no te importa, te doy la mano. No me gusta dar besos.

– Ah, bueno, vale...

Aquello no se lo esperaba. No se esperaba ver a la chica de la cuarta fila a la derecha, la del pelo de tres colores, en aquella fiesta. Así como no se esperaba la reacción que había tenido. Era la primera vez que una chica le decía que no le daba un beso, que le daba la mano. Entre chicos, vale, pero ¡una chica! Era muy raro y ella **una antipática**. A lo mejor venía de algún país del norte, donde cuanto más lejos y cuanto menos te toques, mejor.

ser una antipática: valor enfático del artículo indeterminado.

Irene, que estaba muy enfadada porque efectivamente se había perdido, después de haber estado recordando todo el día la maldita explicación, no tenía ganas de tonterías. Quería una cerveza ya. **Ni siquiera** reconoció al chico que le había abierto la puerta. Para ella era la primera vez que lo veía. Fue a la cocina, donde estaban Álvaro y Miguel hablando. Saludó a Álvaro.

ni siquiera: incluso no.

– ¡Joder, colega! Al final me he perdido...

– ¿Sí? Pero si **te indiqué**...

– Ya, ya, pero al final, ya ves, al final me perdí. Bueno, es igual, ¿tienes una cerveza?

– ¿No quieres mejor un vodkita? Es de Polonia, está muy rico y como no te des prisa, no lo pruebas.

indicar: dar las instrucciones para llegar a algún sitio.

¡venga...!: (oral) exclamación que anima a hacer algo o, en este caso, acepta una invitación de muy buen grado.
mariconada: *(coloquial)* aquí, tontería, cosa poco seria. Viene de maricón, palabra en principio peyorativa para referirse a un gay. En un ámbito "no hostil" pierde su significado peyorativo.

estar hasta las narices de algo: *(oral)* estar harto de algo, no poder más con algo.
cargado: el ambiente está cargado cuando se hace difícil respirar porque hay mucho humo, las ventanas están cerradas, etc.
hablar a voz en grito: hablar muy alto.
heterogéneo: aquí, compuesto por personas muy diferentes.

nada que ver: ninguna relación, nada en común.

– ¡Pues **venga ese vodka** polaco!

– Se bebe con zumo de manzana...

– ¡Ah, no! A mí **mariconadas** de esas vuestras, no. Yo lo bebo solo, como se beben los licores...

– Pero qué bestia eres... Mira, este es el famoso Miguel, el que empieza la carrera este año.

– Ah, hola, soy Irene, Álvaro y yo nos conocemos del Colectivo...

– Ya, ya me ha hablado de ti...–dijo Miguel.

– ¿Bien o mal?

– ¡Fatal! –se rio Álvaro– ¿Vamos al salón?

– ¡Sí! Y cambiamos la música, que **estoy hasta las narices** del Manu Chao ése –se quejó Irene.

Fueron al salón. El ambiente estaba un poco **cargado**. Había bastante humo y la música estaba muy alta. Además, había unas quince personas **hablando a voz en grito**. O sea, nada de especial. Allí estaban hablando Gorka y Andrea dentro de un **heterogéneo** grupito compuesto por seudointelectuales, punkis y niños bien. Gorka estaba sentado en el suelo, de espaldas al recién formado trío de Álvaro, Miguel e Irene. Miguel se agachó y abrazó a Gorka por detrás. Le pareció que estaba un poco raro, distante. Andrea y él estaban hablando de otra película que querían ir a ver, pero sin ningún entusiasmo. **Nada que ver** con la discusión de al lado, donde uno había empezado contando un viaje a Holanda y habían terminado todos discutiendo sobre si habría que hacer lo mismo aquí con las drogas y si sería posible o no. Más que discutiendo, cada uno daba su punto de vista lo más alto que podía y después pensaba su siguiente argumento, sin escuchar lo que la otra persona le estaba diciendo. Nada especial, nada nuevo.

Gorka estaba nervioso por Irene, obviamente. Aún no se explicaba qué podía hacer allí, y le venían a la cabeza mil y una historias para explicarse un complot de todos sus amigos, que podían haber preparado el encuentro. A veces, las explicaciones que la gente busca son mucho más difíciles e inverosímiles de lo que pasa en la realidad. Miguel lo abrazó por detrás. Pero a Gorka no le apetecían **cariñitos**. Tampoco le apetecía hablar de una película que ni conocía ni le interesaba. Quería hablar con Irene. ¿Estaría allí detrás? Se dio la vuelta y se levantó **de un salto**.

cariñito: de cariño. Aquí, muestra de afecto.

levantarse de un salto: muy rápido.

– ¿Os conocéis ya? –preguntó Miguel.
– No –dijo Gorka.
– Sí –dijo Irene.
– Es que...
– ... nos hemos visto...
– Vamos, que le he abierto la puerta. Antes, cuando ha llegado.
– Ah, ¿pero os habéis presentado?
– Sí –dijo Gorka.
– No –dijo Irene al mismo tiempo.

cruzarse una mirada complice: mirarse mostrando un sentimiento de aceptación, solidaridad o camaradería.

perder la paciencia: aquí, ponerse nervioso por algo.

Gorka e Irene **se cruzaron una mirada cómplice**. Aquello se estaba pareciendo más a una escena de cualquier película de los hermanos Marx que a una presentación normal y corriente. Miguel estaba **perdiendo la paciencia**. De repente le vino a la cabeza la conversación del martes con Gorka, en la cafetería de Periodismo: "hay una tía superinteresante (...) es así de alta, tiene una cara superdulce, el pelo rojo, azul y verde". La verdad es que la descripción era buena. De cara se parecía a Jodie Foster, tenía una cara preciosa. Y el pelo, inconfundible. O sea, que era ella. Comprendió que lo mejor que podía hacer era desaparecer.

presentaros: forma oral del imperativo de segunda persona del plural del verbo presentarse, que correctamente sería presentaos. En la lengua oral y entre jóvenes es frecuente la confusión entre el imperativo de vosotros y el infinitivo.

rincón: parte interior del ángulo que forman dos paredes. También, metafóricamente, lugar apartado, lejos del resto.

– Bueno, tíos, paso de vosotros. Si os conocéis, **presentaros** vosotros mismos, y a mí dejarme en paz.

Y se fue al grupito heterogéneo, a ver de qué estaban hablando. Irene y Gorka se quedaron solos. Uno delante del otro. De repente, se sintieron bien, tenían la sensación de que se conocían de toda la vida. Se sentaron en un **rincón** más o menos apartado del resto de la gente. Miguel los observaba de lejos. Sonreían y se miraban. Parecía que no hablaban mucho. "¡Ya está!", pensó Miguel, "Ya está".

Al poco tiempo, la gente empezó a gritar y a revolucionarse, mientras se levantaban. Después de la quinta cerveza o del tercer vodka, todo es mucho más alegre, pero el acto de levantarse se vuelve más difícil y más largo. Irene y Gorka se ayudaron el uno al otro a levantarse apoyándose en la pared, pero no entendían mucho el jaleo que estaban armando los demás. Parecía que se querían ir a otro sitio. Gorka tomó la firme decisión de no beber más aquella noche. Si no, al día siguiente no podría ni abrir los ojos.

XIV

La pista de baile había quedado atrás. Con una cerveza en la mano, Gorka se fue a una zona un poco más tranquila. Si lo pensaba, se agobiaba por el ruido, el humo y la cantidad de gente que había allí, así que decidió no pensarlo. De casualidad, encontró una mesa vacía y se sentó. Esperaba sinceramente que nadie se acercara intentando **ligar**. Sólo le faltaba eso aquella noche. Y entonces **se fijó**.

Como en una novela buena. **Estaba de espaldas, pero de lado**. No había duda, le estaba mirando. De repente sonó la canción que no tenía que sonar. Sonó La Canción. Joder con La Canción. Acompañaba a Gorka desde hacía exactamente tres años. Invariablemente sonaba en todas sus primeras citas. En todos sus primeros encuentros. No le encontraba una explicación racional, pero hacía ya tiempo que había dejado de intentarlo. Simplemente contaba con ello. Por eso no comprendió por qué sonaba entonces, justo entonces. Se quedó sorprendido, no conseguía reaccionar. Pero es que le seguía mirando. De lado, pero de espaldas. **Echando** de vez en cuando **una mirada** atrás.

---

la pista de baile: zona donde se baila en una discoteca o en un pub.

ligar (con alguien): *(oral)* seducir, establecer una relación amorosa que normalmente no es estable ni duradera.

fijarse (en algo): darse cuenta de algo y prestarle atención.

estar de espaldas pero de lado: a la persona que está de espaldas se le ve la espalda. A la que está de lado se le ve el perfil. Aquí, esta persona está en una posición intermedia, ni una cosa ni la otra.

echar una mirada: mirar rápidamente, fugazmente.

Con lo borracho que estaba, probablemente no era la mejor idea, pero Gorka empezó a pensar. Mientras la barra se llenaba y se vaciaba, mientras, en la barra, de lado pero de espaldas, seguía mirando sin mirar...

¿Por qué él, que odiaba las discotecas, había terminado precisamente en aquella? Alguien, en casa de Álvaro, había dicho que allí ponían música de los setenta y de los ochenta, y todos se habían vuelto locos. Todos menos Andrea. Recordaba que había dicho que se iba a casa. Seguro que no estaba tan borracha como el resto de la gente. Sí, había sido el mismo Alvarito, el amigo guapo y simpático de Miguel, el que había dicho lo de ir a la discoteca. A Gorka los sitios de ambiente no le gustaban especialmente, y mucho menos si eran discotecas. Y sin embargo, allí estaba. Cantando los grandes éxitos de Gloria Gaynor, los Village People y **Alaska**. Como un **mariquita** más. En general le gustaba integrarse en todas partes, pero siempre había tenido muy claro que era **hetero**. Así de sencillo. Pero ese día. Ese tío.

La espalda no era nada especial: era bonita, sí, pero no era eso lo que le atraía. Las piernas las tenía bien formadas, pero había visto miles así y no le había pasado nada. El culo... tampoco. Quizá serían las manos. **Estaba dándole vueltas a esto** y el chico miró de nuevo. Pero esta vez se quedó mirándolo un poco más.

Entonces lo vio. Era la boca: húmeda, sugerente. Tenía los dientes algo separados, pero no era antiestético. Se humedecía los labios automáticamente, pero se veía que era consciente de su encanto, lo cual lo hacía aún más atractivo a ojos de Gorka. Si seguía mirándolo así, **se iba a poner cachondo**.

Alaska: nombre artístico de Olvido Gara, conocida cantante de los grupos Alaska y Dinarama o Fangoria. Fue un símbolo de la llamada movida madrileña y se ha convertido en uno de los iconos gays españoles.
mariquita: *(oral)* palabra teóricamente peyorativa para gay.
hetero: *(coloquial)* persona heterosexual.
darle vueltas a algo: *(oral)* pensar en algo.

ponerse cachondo: *(muy coloquial)* excitarse sexualmente.

El ambiente estaba tan cargado como en casa de Álvaro. Había tanto humo que picaban los ojos. Miró el reloj: ¡pero si era solo la una y media! Completamente sorprendido, Gorka pensó que la noche era joven todavía y decidió una vez más dedicarse a observar gente. Si alguien se reía, él sonreía con ellos. Irene estaba bailando en alguna parte, ella también odiaba las discotecas, pero lo **estaba disfrutando** bastante más que él. En el fondo, se sentía un poco **gilipollas**, pero estaba demasiado borracho para profundizar en el pensamiento. La verdad es que **le daba todo igual**. Excepto la gente que se reía y aquel chico de boca humedecida. Volvió a pensar en Irene, hacía un rato que no la veía. En teoría habían ido allí juntos: los dos antidiscotequeros de la fiesta en Sodoma, la discoteca gay de moda. Y ahora estaba él solo allí, mirando por primera vez como un idiota a otro tío.

En otra mesa un poco más allá había cuatro tíos sentados. Estaban serios y no hablaban. Se fijó bien; más que serios estaban tristes. **No aguantaba** ver a gente triste en una discoteca, era demasiado deprimente para él. Volvió a mirar al chico de la boca provocativa. Se había dado la vuelta. Ya no lo miraba. Sin embargo, estaba casi seguro de que el chico se había fijado en él igual que a él mismo le había gustado.

Apareció Miguel de repente. Se acercó a Gorka.

– ¿Qué te pasa, tío? ¿No bailas?

– No, paso. Estoy descansando un poco.

– Pues no será porque has bailado mucho. ¿Estás bien?

– Sí, sí, no te preocupes.

– Tío, pues yo me lo estoy pasando de puta madre.

disfrutar algo o de algo: pasarlo bien con algo.
gilipollas: *(coloquial)* idiota, tonto.
darle igual algo a alguien: serle indiferente, no provocarle ninguna reacción.

no aguantar: odiar, no soportar.

si eso: *(oral)* aquí, si
te parece bien.

– Pues... No sé, no me apetece mucho.

– ¡Venga, hombre! ¡Anímate!

– Yo creo que me quedo un ratito, **si eso** quedamos
en algún sitio y nos vemos allí, ¿vale?

– Como quieras.

Gorka quería quedarse allí, eso lo tenía claro. ¿Qué
pasaba con Irene? No la había visto en realidad desde
que habían entrado en la discoteca. La última vez que
la había visto estaba hablando con Miguel.

– Oye, ¿sabes dónde está Irene?

– Sí, está ahí en la pista hablando con nosotros.
Dice que se ha cansado de estar aquí, que le apetece venirse con nosotros a otro sitio.

– Ah, pues entonces nos vemos... ¿dónde? –preguntó Gorka.

– Creo que vamos al Priscilla, ¿quedamos en la plaza?

– ¿En la salida del metro?

– Venga, ¿a qué hora?

– Sobre las... sobre las dos y media, ¿vale? Y nos
tomamos la última.

– Venga, chao.

– Hasta luego.

Y se fueron. Gorka se quedó solo. Tenía algo menos de una hora. Volvió a la sala de las mesas, pero no
encontró ninguna libre. **Se puso** en la barra y pidió
una botellita de agua mineral. El chico estaba allí, a
dos metros, y lo miraba con una sonrisa.

ponerse: aquí, situar-
se, colocarse.

XV

A las dos y veinticinco Miguel e Irene estaban esperando en la salida del metro, que ya estaba cerrada. En la plaza había mucha gente. Era curioso lo que había cambiado el barrio de Chueca en cuestión de seis, siete años. De ser un barrio peligroso, lleno de delincuencia y de **mal rollo**, había pasado a ser un centro comercial **de primer orden**, y una de las concentraciones de bares y discotecas más altas de todo Madrid. Se había convertido en lo que unos llamaban "guetto" y otros sencillamente "barrio" gay. Bares de ambiente, librerías de ambiente, hasta tiendas de ropa de ambiente. Era sorprendente.

– ¿Es puntual? –preguntó Irene a las tres menos cuarto.

– Digamos educadamente que la puntualidad no es su mayor virtud.

– O sea, que es **un tardón**.

– Más o menos.

– Joder.

Miguel empezó a sospechar que no vendría cuan-

mal rollo: *(coloquial)* en general se dice cuando algo nos provoca malas sensaciones, no nos gusta.
...de primer orden: muy importante.

(ser) un tardón: *(oral)* una persona que habitualmente llega tarde a los sitios. Notamos el uso enfático del artículo indeterminado, como antes.

(estar) cabreado: *(coloquial)* estar muy enfadado.

ia este le dan por culo!: *(vulgar)* forma muy expresiva de mostrar rechazo y desprecio por alguien.

ise va a enterar!: *(oral)* expresión que usamos cuando queremos amenazar.

do a las tres y cuarto aún no había dado señales de vida. Irene estaba bastante **cabreada**.

– Tío, porque tú te quieres quedar, pero vamos, si es por mí, **a este** tío **le dan por culo**. ¡Yo paso de estar aquí una hora esperando!

– Ya, tía, pero espera un poco más, seguro que se ha entretenido...

– Pero colega, ¿de qué vas? ¡Que son las tres y veinte! ¡Que llevamos esperando una hora!

– Es verdad, es muy fuerte...

– Mira, tío, yo me voy.

– Sí, espera, que me voy yo también. ¡Qué fuerte! Mañana cuando lo vea, **se va a enterar**.

XVI

Y Gorka se acostó. "No estoy borracho", pero le costaba recordar cómo había empezado todo, cómo había pasado. Demasiada gente, demasiado rápido. Demasiadas ganas. Estaba confundido y al mismo tiempo feliz. Sorprendido, pero quizás no tanto. Una sonrisa se dibujó en sus labios y decidió que le gustaba. Como siempre al acostarse, antes de quedarse dormido, se le vino a la cabeza el principio genial de un poema genial que, como siempre, se le olvidó a los cinco minutos.

Miguel se había despertado al entrar Gorka y lo estaba escuchando. Se imaginaba desde su habitación los movimientos de su compañero en la cama. No dejaba de **revolverse**, como huyendo de algo. Gorka dijo algo incomprensible que a Miguel le hizo pensar. En la **duermevela** se suele cometer el error de pensar. En la vida, en la cantidad de cosas que se debería hacer y no se hace, en el libro que todavía no hemos leído, en esa mirada del otro día en la biblioteca. Los grandes libros dicen que las cosas no hay que pensarlas, sino hacerlas; que no hay que observar la vida, sino vivirla. Miguel hacía lo que podía, pero no siempre hay ganas ni dinero para hacer todo lo que se quiere.

revolverse: aquí, moverse mucho, agitarse.

duermevela: estado entre el sueño y la plena conciencia.

rumor: ruido suave.

Miguel pensaba que iban a hablar un rato, pensaba que Gorka le iba a contar qué había pasado, por qué no había ido a la plaza a las dos, como habían quedado, cómo es que había dejado plantada a Irene, con quién había estado y por qué volvía a esas horas, solo. Entonces Gorka se levantó de la cama, salió de la habitación y fue al baño. Miguel no pudo esperar más: con el **rumor** del agua corriendo en el baño se quedó dormido.

a cuestas: aquí, consigo (metafóricamente).

Cansado y como sin ganas, Gorka se miró en el espejo. Se gustaba así, con cara casi de loco, con la cara de la resaca que está a punto de llegar. Se repitió: no estoy borracho. Se lavó la cara y con el frío **a cuestas** volvió a la cama y se durmió.

XVII

El domingo es el día del **Rastro**. Se queda a las once en **Cascorro**, se da una vuelta, se compra un libro viejo que generalmente no se lee, y a eso de las dos empiezan las cañas. La primera, con su **tapa** de aceitunas, en Casa Antonio. Los gitanos son fascinantes; sin dejar de ser ellos mismos han evolucionado hacia la ropa de marca, los grandes coches y la música tecno. Pero en las noches de agosto no se olvidan nunca de reunirse allá, en esa plaza concreta de Lavapiés, a cantar flamenco y bailar **hasta las tantas**.

– Tenemos el barrio lleno de gitanos, a mí me da miedo ya hasta salir a comprar el pan.
– Mujer, no sea usted exagerada. Mire, yo, sin ir más lejos, no he tenido ni un solo problema con ellos.
– Sí, niña, pero tú vives en La Fortuna, y eso **queda un poco retirado** de aquí.
– Vivo allí, sí, pero vengo todos los días a trabajar...
– Anda, anda, dame ya la barra de pan y **déjate de tonterías**.

Y la señora Juliana se fue, con su barra de pan, a

El Rastro: típico mercado al aire libre que se organiza todos los domingos muy cerca del barrio de Lavapiés de Madrid. Allí se puede comprar desde antigüedades hasta ropa de segunda mano, comida o libros antiguos.

la plaza de Cascorro: símbolo del Rastro, se puede considerar uno de los comienzos del Rastro, por la parte norte.

una tapa: en España es costumbre comer algo antes de la comida. Se suele ir a un bar y tomar un vermouth o unas cañas acompañados de tapas, es decir, pequeñas cantidades de comida.

hasta las tantas: hasta muy tarde por la noche.

queda un poco retirado: aquí, está bastante lejos de aquí.

¡déjate de tonterías!: ¡no digas tonterías!

preparar la comida y a despertar a su nieta Irene. No sabía qué hacer para comer. Quizá cocido, con lo que le gusta a Irenita...

EXPLOTACIÓN DIDÁCTICA
EJERCICIOS PARA EL ALUMNO

Lecturas de Español es una colección de historias breves especialmente pensadas para los estudiantes de español como lengua extranjera. Los cuentos han sido escritos, teniendo en cuenta, básica pero no únicamente, una progresión gramático-funcional secuenciada en seis etapas, de las cuales las dos primeras corresponderían a un nivel inicial de aprendizaje, las dos segundas a un nivel intermedio, y las dos últimas al nivel superior. Como resultado de la mencionada secuenciación, el estudiante puede tener contacto con textos escritos "complejos" ya desde los primeros momentos del aprendizaje y puede hacer un seguimiento más puntual de sus progresos.

Las aportaciones didácticas de ***Lecturas de Español*** son fundamentalmente dos:

- notas léxicas y culturales al margen, que permiten al alumno acceder, de forma inmediata, a la información necesaria para una comprensión más exacta del texto.

- explotaciones didácticas amplias y variadas que no se limiten a un aprovechamiento meramente instrumental del texto, sino que vayan más allá de los clásicos ejercicios de "comprensión lectora", y que permitan ejercitar tanto otras destrezas como también cuestiones puntuales de gramática y léxico. El tipo de ejercicios que aparecen en las explotaciones permite asimismo llevar este material al aula ampliando, de esa manera, el número de materiales complementarios que el profesor puede incorporar a a sus clases.

Con respecto a los autores, hemos querido contar con narradores capaces de elaborar historias atractivas, pero que además sean –condición casi indispensable– expertos profesores de E/LE, para que estén más sensibilizados con el tipo de problemas con que se enfrenta un estudiante de español como lengua extranjera.

Las narraciones, que no se inscriben dentro de un mismo "género literario", nunca **son** adaptaciones de obras, sino **originales** creados *ex profeso* para el fin que persiguen, y en ellas se ha intentado conjugar tanto amenidad como valor didáctico, todo ello teniendo siempre presente al lector, una persona joven o adulta con intereses variados.

PRIMERA PARTE
Comprensión lectora

1. A continuación tienes una serie de afirmaciones sobre la historia que has leído. Marca cuáles de ellas son verdaderas y cuáles falsas.

   a. Los personajes de la historia están preocupados únicamente por sus estudios.
   ❑ Verdadero   ❑ Falso

   b. Gorka e Irene son amigos de la infancia.
   ❑ Verdadero   ❑ Falso

   c. Irene dedica gran parte de su tiempo a cuestiones sociales y políticas.
   ❑ Verdadero   ❑ Falso

   d. Llegar tarde es motivo de continuas peleas y discusiones entre los protagonistas.
   ❑ Verdadero   ❑ Falso

   e. José y Miguel han sido pareja pero ya no lo son.
   ❑ Verdadero   ❑ Falso

   f. A José le gustaría volver con Miguel.
   ❑ Verdadero   ❑ Falso

   g. Todos los protagonistas son amigos desde hace tiempo.
   ❑ Verdadero   ❑ Falso

   h. Después de la fiesta, Gorka e Irene empiezan a salir juntos
   ❑ Verdadero   ❑ Falso

2. Aquí tienes una serie de descripciones sobre los personajes de la historia. Marca cuáles se ajustan y cuáles no a la realidad.

   a. Gorka. Tímido, poco sociable. Se dedica sobre todo a estudiar y le dan miedo las cosas que no conoce perfectamente.
   ❑ Verdadero   ❑ Falso

   b. Irene. Le gustan las experiencias nuevas, es inquieta y tiene espíritu crítico, aunque a veces se comporta de manera ingenua.
   ❑ Verdadero   ❑ Falso

c. **Juliana.** Prototipo de "abuela moderna": le consiente todo a su nieta y todo lo que ella hace le parece bien. Nunca sale una crítica de su boca.
    ❏ Verdadero   ❏ Falso

d. **Miguel.** Simpático e inteligente, le gusta disfrutar de la vida y lo intenta. No le gusta hacer daño a los demás, pero tampoco que se lo hagan a él.
    ❏ Verdadero   ❏ Falso

e. **Ramón.** El mejor amigo de Miguel, su relación se basa en el intercambio de "libros imprescindibles". Suelen ir mucho a la Filmoteca Nacional.
    ❏ Verdadero   ❏ Falso

f. **José.** El mejor amigo de Miguel, su relación se basa en el intercambio de "libros imprescindibles". Suelen ir mucho a la Filmoteca Nacional.
    ❏ Verdadero   ❏ Falso

g. **Andrea.** Está intentando entenderse a sí misma y eso la distancia un poco de la gente, pero en general es bastante sociable y muy amiga de sus amigos.
    ❏ Verdadero   ❏ Falso

h. **Álvaro.** Bastante inmaduro, no tiene muy claro lo que quiere y en su indecisión arrastra a los demás. Es muy dependiente de la gente que tiene cerca y esto le causa problemas.
    ❏ Verdadero   ❏ Falso

3. **Aquí tienes una serie de frases que aprovechan de alguna manera la información que ha ido apareciendo en las notas. Decide cuáles de esas frases son posibles y cuáles no. Fíjate en el ejemplo.**

Ramiro se licenció en Filología Eslava en *la Complutense.*
    ☑ Posible   ❏ Imposible

Ramiro se licenció en Filología Eslava en *el instituto.*
    ❏ Posible   ☑ Imposible

a. Cada vez que la veo *me pongo súper cachondo;* no puedo soportar lo fea que es, vaya que no me liaba con ella ni por dinero.
    ❏ Posible   ❏ Imposible

b. Esta mañana no me ha dado tiempo a nada; cuando iba a salir de casa, Pepita me ha llamado y se *ha enrollado* contándome lo de su novio. No ha habido forma de cortarla.

❏ Posible ❏ Imposible

c. Desayuno *cocido madrileño* todos los días, pero creo que tengo que cambiar mis hábitos, porque es un desayuno demasiado ligero y sobre las 11 ya tengo hambre otra vez.

❏ Posible ❏ Imposible

d. El otro día me quedé muy sorprendida con Andrés; me dijo que era *guay,* que lo sabía desde que era pequeño y que no ha tenido ningún trauma con eso. Me parece genial, de verdad.

❏ Posible ❏ Imposible

e. Cuando iba al colegio era imposible *hacer pellas;* pasaban lista todos los días y en cuanto faltabas sin justificarlo, llamaban a tus padres.

❏ Posible ❏ Imposible

f. Como no sé italiano y normalmente no leo traducciones, nunca he leído nada de *Mario Benedetti,* y la verdad es que me gustaría, pero ya sabes, los principios son los principios...

❏ Posible ❏ Imposible

g. Hace muchos años que decidí no ir a la *terraza* de un bar. Tengo vértigo y me da mucho miedo caerme desde tan alto después de haber tomado un par de cervezas.

❏ Posible ❏ Imposible

h. A mí me gusta la música de *Manu Chao,* pero me parece tan bueno como otros muchos, ni más ni menos... No entiendo a esa gente que lo pone a todas horas, como si fuera lo único que hay...

❏ Posible ❏ Imposible

i. El otro día estuve en un restaurante y me tomé una *birra* frita con cebolla que estaba de muerte, tierna, tierna, tierna...

❏ Posible ❏ Imposible

j. La cara que puso Roberto cuando se enteró de lo de su despido fue increíble. Estuvo *cabreado* un mes entero.

❏ Posible ❏ Imposible

SEGUNDA PARTE
Gramática y notas

1. Observa en los siguientes cuatro fragmentos de la historia el uso de las formas verbales que aparecen subrayadas.

Y se fueron hacia la pista, a buscar al amigo de Álvaro. Gorka quería quedarse allí, eso lo tenía claro. ¿Qué pasaba con Irene? No la <u>había visto</u> en realidad desde que <u>habían entrado</u> en la discoteca. La última vez que la <u>había visto</u> estaba hablando con Miguel.

[...]

A las dos y veinticinco Miguel e Irene estaban esperando en la salida del metro, que ya estaba cerrada. En la plaza había mucha gente. Era curioso lo que <u>había cambiado</u> el barrio de Chueca en cuestión de seis, siete años. De ser un barrio peligroso, lleno de delincuencia y de mal rollo, <u>había pasado a ser</u> un centro comercial de primer orden, y una de las concentraciones de bares y discotecas más altas de todo Madrid. <u>Se había convertido</u> en lo que unos llamaban "guetto" y otros sencillamente "barrio" gay.

[...]

Miguel empezó a sospechar que no vendría cuando a las tres y cuarto aún no <u>había dado</u> señales de vida. Irene estaba bastante cabreada.

[...]

Miguel <u>se había despertado</u> al entrar Gorka y lo estaba escuchando. Se imaginaba desde su habitación los movimientos de su compañero en la cama.

[...]

Miguel pensaba que iban a hablar un rato, pensaba que Gorka le iba a contar qué <u>había pasado</u>, por qué no <u>había ido</u> a la plaza a las dos, como <u>habían quedado</u>, cómo es que <u>había dejado</u> plantada a Irene, con quién <u>había estado</u> y por qué volvía a esas horas, solo. Entonces Gorka se levantó de la cama, salió de la habitación y fue al baño.

¿De qué tiempo verbal se trata? ¿Sabes cómo se llama y cuándo se usa?

....

....

¿Se refiere al presente, al pasado o al futuro?

....

....

¿La acción que va expresada en este tiempo está relacionada con otra o es independiente?

....

....

¿Qué relación crees que tiene con las otras acciones? ¿Es anterior, simultánea o posterior?

....

....

¿Cuántas palabras forman este tiempo? ¿Las reconoces?

....

....

Rellena el siguiente resumen sobre este tiempo:

El .... es un tiempo del
.... que usamos para hablar de acciones
.... Se forma con el pretérito
imperfecto de .... y el ....
del verbo en cuestión.

---

2. En el siguiente texto algunas formas verbales pueden ser sustituidas por otras del pretérito pluscuamperfecto sin que cambie el sentido. Realiza los cambios oportunos.

Llegamos al hotel hechos polvo. El viaje duró solo tres horas, y ni siquiera madrugamos demasiado, pero como la noche anterior salimos con unos amigos de marcha, estábamos realmente agotados. Subimos a las habitaciones y nos acostamos un rato a descansar antes de salir a ver la ciudad. Antes de quedarnos dormidos, estuvimos hablando de lo que hicimos la noche anterior. Era alucinante; pasamos toda la noche sin dormir como cuan-

do teníamos veinte años. Ni viaje, ni responsabilidad, ni nada. Ni me acuerdo de cuándo nos quedamos dormidos, lo que sí sé es que nos despertamos a las once de la noche y como era muy tarde para hacer turismo, decidimos irnos de marcha. Como esto siga así, después de las vacaciones vamos a necesitar otras vacaciones.

Llegamos al hotel...

....

....

....

....

....

....

....

....

....

....

3. En el siguiente diálogo se han quitado algunas palabras (conectores del discurso) que se pueden encontrar entre las opciones que se dan más abajo. Teniendo en cuenta el significado del texto, elige la opción correcta.

–¿Diga?

–Hola, Irene, soy Álvaro.

–¡Ah! Hola, oye, ¿has llamado tú hace un rato?

–Sí, (1)_____ he llegado a casa. (2) _____ he estado hablando con unos amigos, (3)_____ voy a hacer una fiesta este fin de semana y he pensado que te podías venir, ¿no?

–¿Qué día? Porque yo el sábado me levanto muy pronto... tengo que ir con mi abuela a hacer la compra por cojones.

–De puta madre,(4) _____ hemos quedado para el sábado por la noche. No sé, a eso de las diez o por ahí...

–¿Tan pronto?

–Bueno, si quieres, ven más tarde, (5)_____ llámanos antes, (6)_____ a lo mejor luego salimos, ¿vale?

–Bueno, (7)_____, te veo pasado mañana en el Colectivo, ¿no?

–No sé todavía si voy a poder ir, pero (8)_____, hablamos.

–Vale, (9)_____, hablamos.

–Venga.

–Hasta luego.

–Adiós.

1. a) en cuanto; b) porque; c) es que; d) ya que
2. a) Cuando; b) A pesar de; c) Es que; d) Incluso
3. a) es que; b) como; c) cuando; d) porque
4. a) sin embargo; b) pero; c) porque; d) pues
5. a) pero; b) pues; c) entonces; d) así que
6. a) así que; b) porque; c) como; d) dado que
7. a) en ese caso; b) pues; c) de todas maneras; d) incluso
8. a) así; b) de esa manera; c) pues; d) en cualquier caso
9. a) sin embargo; b) entonces; c) por eso; d) de todas maneras

4. Aquí tienes un fragmento de nuestra historia. En él se habla de una historia de amor, la de José y Miguel. A partir de la información que hay en él, ordena cronológicamente los momentos más importantes de su historia.

Quedó en la plaza de Chueca, en el café Acuarela. Llegó un poco tarde, pero aún no estaba allí. Miguel estaba muy nervioso. Desde la última vez que se habían visto, hacía ya un año, no había vuelto a saber de él. José. Su gran amor. Empezó a recordar todos los grandes momentos; cuando a la semana de conocerse José le dijo que le gustaba; cuando fueron, como de luna de miel, a Segovia y se perdieron buscando un restaurante barato; cuando, poco antes de la crisis final, estuvieron pensando si ir a Holanda, si era posible casarse, a pesar de que antes habían dicho miles de veces que su relación no era un matrimonio y que no querían eso...

Sin embargo, la suya nunca había sido una relación perfecta. Salieron poco tiempo, unos seis meses, pero a Miguel todavía se le ponía una sonrisa en la cara cuando se acordaba de ellos. ¿Por qué acabó tan mal? Todo por un desencuentro, lo mismo de siempre. Miguel no se entregaba a José todo lo que José pensaba que tenía que entregarse y José era demasiado posesivo para Miguel. Al final, después de pasar una semana en la sierra con otros amigos, hacía de eso ya casi dos años, decidieron que no tenía sentido seguir, que era mejor separarse. Nada trágico, eran dos personas adultas. Pero en el fondo Miguel nunca dejó de pensar que la cosa podía haber funcionado. Al oír la voz de José por teléfono sintió algo sin saber exactamente qué.

1. *Se conocieron*
2. ....
3. ....
4. ....
... .
....
....

5. Las tres columnas que tienes a continuación recogen algunas de las palabras y expresiones coloquiales y de argot que aparecen en el texto. Colócalas en la tabla que tienes más abajo según tengan un significado positivo, negativo o neutro. Ten en cuenta que en ocasiones pueden tener distintos significados.

pijo	por narices	¡hostias!
cotilla	guay	comerle a alguien la
gilipollez	ser la hostia de ...	cabeza
mierda	pasarse algo por los	mariconada
estar de puta madre	cojones	ambiente cargado
estar a su rollo	¡coño!	ligar
pasar mogollón	ser un capullo	gilipollas
flipar	pirarse	cabreado
por cojones	ser un petardo	mal rollo
		dar por culo

Positivo	Neutro	Negativo

TERCERA PARTE
Expresión escrita

1. Gorka y Miguel comparten piso, pero el dueño les quiere subir el alquiler y necesitan un nuevo compañero porque no tienen suficiente dinero. Han puesto un anuncio en la facultad que dice:

Escríbeles un correo electrónico presentándote e interesándote por el piso.

2. Gorka no sólo imagina versos geniales que se le olvidan inmediatamente, sino que además lleva un diario personal. El domingo, después de la fiesta, a modo de reflexión, decide escribir en su diario sus sensaciones. Imagina qué escribe.

....

....

....

3. Escribe el correo electrónico que Irene, todavía enfadada, porque no acaba de entender a Gorka puede enviarle diciéndole cómo se siente y pidiéndole explicaciones. Recuerda que ha estado esperando más de una hora.

....

....

....

4. A Irene le gusta mucho la política y está muy comprometida con el problema de Chiapas. Unos días después de la fiesta, ve en el colectivo de la universidad este anuncio. Irene decide intentarlo, pero tiene que escribir una carta de motivación diciendo quién es, por qué quiere ir, lo que puede aportar, la experiencia que tiene con el tema de Chiapas, etc.

En TODOS CON CHIAPAS trabajamos por la dignidad de nuestros compañeros mexicanos. Si te parece bien la injusticia, la opresión del pueblo y estás de acuerdo con la militarización del estado, entonces deja de leer.

SI NO ES ASÍ, este es tu proyecto: estamos buscando voluntarios para una campaña de alfabetización popular. Si no eres de los que piensan que la injusticia social es algo normal y que es imposible cambiar nada, ponte en contacto con nosotros; ven a vernos a nuestra sede en la C/ Gravina, 7 o escríbenos un mail contándonos lo que sabes de Chiapas, quién eres y por qué quieres venirte con nosotros. ¡TE ESPERAMOS!

chiapas_libre@justicia.org

Escribe tú la carta que Irene va a mandar a esa ONG.

CUARTA PARTE
Expresión oral

1. En la historia aparecen diferentes relaciones afectivo-sexuales. Habla con tus compañeros de cuáles y cómo son: nivel de implicación, de compromiso, de intensidad... ¿Crees que son "relaciones de amor"?

2. Relee este fragmento en el que se habla de la relación que Irene tiene con su abuela.

.... con su abuela se entendía a las mil maravillas. Suele pasar que los abuelos son mucho más tolerantes y comprensivos que los padres. Y así pasaba con Juliana, la abuela de Irene, con la que tenía un acuerdo que convenía a las dos: Irene podía volver a cualquier hora y la abuela no decía nada y, a cambio, Juliana se iba de vez en cuando al bingo, su vicio secreto.

Las dos vivían solas en Lavapiés, en una casa antigua, y se compenetraban bien: al mercado iban juntas, pero de cocinar se encargaba la abuela, así como de fregar, lavar la ropa y limpiar la casa. Irene de vez en cuando echaba una mano, pero a Juliana no le gustaba cómo hacía su nieta las cosas. No entendía, por ejemplo, lo de poner música cada vez que limpiaba el polvo o recogía la casa... "¡Ruido! ¡Eso es ruido, no música!" solía decir. Por eso el acuerdo significaba cada vez más que la abuela hacía todo lo de la casa, incluso ir a la compra, aunque a eso la acompañaba Irene.

a. Juliana, la abuela de Irene sabe cocinar, fregar, lavar, limpiar la casa, etc. ¿Crees que Irene no sabe o no quiere hacer estas cosas? ¿Piensas que está cambiando el rol social de la mujer? ¿Cómo lo explicas? ¿Cuál es la situación de la mujer en tu país?

b. ¿Crees que es un problema generacional el que hace que la abuela de Irene crea que la música que escucha su nieta es solo ruido? ¿Se pueden entender los "representantes" de generaciones diferentes? ¿Tiene importancia que pertenezcan a la misma familia? ¿Ayuda o molesta? Habla de este tema con tus compañeros.

3. Al final de la historia Gorka tiene una experiencia nueva para él: se siente atraído físicamente por otro chico. ¿Cómo piensas que se puede sentir? ¿Crees que eso significa que es homosexual? ¿Qué crees que significa "ser homosexual"?

4. La homosexualidad es percibida de forma diferente en distintas sociedades. ¿Crees que una historia como ésta puede aparecer publicada en cualquier país? ¿Cuál es la situación en tu país? ¿Qué opinión personal tienes sobre el tema?

5. Cuando Gorka está en la discoteca, "suena La Canción". Es una canción que parece que le trae cierto tipo de recuerdos, de asociaciones. ¿Existe alguna canción en tu vida que juegue un papel especial? Habla con tus compañeros de vuestras canciones. Quizás llevar alguna grabación a clase os puede facilitar el diálogo. ¿Qué cosas os han sorprendido más?

SOLUCIONES

EXPLOTACIÓN DIDÁCTICA

Primera parte

1. *a.- F, b.- F, c.- V, d.- F, e.- V, f.- V, g.- F, h.- F.*

2. *Gorka F; Irene V; Juliana F; Miguel V; Ramón F; José V; Andrea V; Álvaro F.*

3. *a.- Imposible, b.- Posible, c.- Imposible, d.- Imposible, e.- Posible, f.- Imposible, g.-
Imposible, h.- Posible, i.- Imposible, j.- Posible.*

Segunda parte
Gramática y notas

1. *Pretérito pluscuamperfecto de indicativo.*
Se usa para hablar de acciones anteriores a otras acciones del pasado.
Se refiere al pasado.
La acción está relacionada con otras.
La acción que expresa es anterior.
*Está formada por dos palabras. El pretérito imperfecto del verbo haber y el participio
pasado del verbo en cuestión.*

> El pretérito pluscuamperfecto es un tiempo del pasado que
> usamos para hablar de acciones anteriores a otras acciones del
> pasado. Se forma con el pretérito imperfecto del verbo *haber* y
> el participio pasado del verbo en cuestión.

2. Llegamos al hotel hechos polvo. El viaje *había durado* solo tres horas, y ni siquiera *habíamos madrugado* demasiado, pero como la noche anterior *habíamos salido* con unos amigos de marcha, estábamos realmente agotados. Subimos a las
habitaciones y nos acostamos un rato a descansar antes de salir a ver la ciudad.
Antes de quedarnos dormidos, estuvimos hablando de lo que *habíamos hecho* la

noche anterior. Era/*Había sido* **alucinante**; *habíamos pasado* toda la noche sin dormir como cuando teníamos veinte años. Ni viaje, ni responsabilidad, ni nada. Ni me acuerdo de cuándo nos quedamos dormidos, lo que sí sé es que nos despertamos a las once de la noche y como era muy tarde para hacer turismo, decidimos irnos de marcha. Como esto siga así, después de las vacaciones vamos a necesitar otras vacaciones.

3. *Comprueba la respuesta correcta al final del capítulo IV.*

4.   *1. Se conocieron.*

 2. José se declaró y empezaron a salir juntos.

 3. Fueron a Segovia.

 4. Dijeron que su relación no era un matrimonio.

 5. Estuvieron pensando si ir a Holanda.

 6. Tuvieron una crisis muy grande.

 7. Fueron una semana a la sierra.

 8. Decidieron cortar la relación.

 9. Estuvieron un año sin verse.

 10. José llamó a Miguel por teléfono.

 11. Quedaron en el café Acuarela.

 12. Miguel llegó un poco tarde a la cita con José.

5. Positivo: *guay, estar de puta madre, ¡coño!, ¡hostias!.* **Neutro:** *estar a su rollo, pasar mogollón, por cojones, por narices, ser la hostia de..., ¡coño!, pirarse, ligar.* **Negativo:** *pijo, cotilla, gilipollez, mierda, estar a su rollo, flipar, pasarse algo por los cojones, ¡coño!, ser un capullo, ser un petardo, ¡hostias!, comerle a alguien la cabeza, mariconada, ambiente cargado, gilipollas, cabreado, mal rollo, dar por culo.*

LECTURAS GRADUADAS

HISTORIAS DE HISPANOAMÉRICA

HISTORIAS PARA LEER Y ESCUCHAR (INCLUYE CD)

Niveles:

E-I → Elemental I	**E-II** → Elemental II	**I-I** → Intermedio I	**I-II** → Intermedio II	**S-I** → Superior I	**S-II** → Superior